KB171997

7인의 수다,
맛깔나는 술 이야기

7인의 수다, 맛깔나는 술 이야기

발 행 2024년 1월 15일
지 은 이 허광호, 조병수, 신명종, 이종미, 심순옥, 이은영, 김경미
그 림 유당 조병수
편집/디자인 애솔나무 지아
펴 낸 곳 주식회사 부크크
펴 낸 이 한건희
출판사등록 2014.07.15.(제2014-16호)
주 소 서울특별시 금천구 가산디지털1로 119 SK트윈타워 A동 305호
전 화 1670-8316
이 메 일 info@bookk.co.kr

I S B N 979-11-410-6678-9

www.bookk.co.kr

7인의 수다,

맛깔나는 술 이야기

허광호, 조병수, 신명종, 이종미, 심순옥, 이은영, 김경미

차례

I

한 잔 술에
시흥은 절로 나오고

허광호

허광호

건국대학교 무역학과를 졸업하고 LG 및 LIG그룹 계열사에서 38년 일했다.
전원생활과 생태주의에 대한 관심으로 방송통신대에서 농학을 공부하였다. 그 연장선에서 CEO로 정년 퇴임한 후 성균관대학교 유학대학에서 「권근의 천인심성합일사상 연구」로 철학박사(유교철학) 학위를 받았다.
전원생활을 포기한 지금은 『한국수필』에서 수필가로 등단하였으며 수필과 소설을 쓰고 있다.

1. 한 잔 술에 시흥은 절로 나오고

옛부터 술과 시는 서로 짝을 이루어 사람들의 온갖 감성과 소회를 표현하는 수단이었다. 기쁠 때도 혹은 슬플 때도 우리 선조들은 한 잔 술과 한 가락의 노래 또는 시로 감흥을 표현해 왔다. 술과 시, 술과 시인 하면 맨 먼저 떠올리는 시나 시인은 누구일까? 전통적으로 이태백을 떠 올렸다. 주선이라고 불린 그는 유독 술과 관련한 시를 많이 남겼으며 또한 이야깃거리도 많기 때문이다.

그러나 중국 시인인 이태백 못지않은 조선 시인이 있었으니 그는 송강 정철이다. 이백의 술 권하는 노래인 〈장진주〉가 유한한 인생을 즐기는 호방한 술꾼의 세계를 그린다면, 정철의〈장진주사〉는 술 마시고 즐김을 노래하되 애잔한 느낌을 준다.

한 잔 먹세그려 또 한 잔 먹세그려
꽃 꺾어 算(산) 놓고 무진무진 먹세 그려

이 몸 죽은 후면 지게 위에 거적 덮혀 주리혀 매어 가나
流蘇寶帳(유소보장)에 만인이 울어 예나
어욱새 속새 떡갈나무 백양 숲에 가기 곧 가면
누른 해 흰 달 가는 비 굵은 눈 쇼쇼히 바람 불 제
뉘 한 잔 먹자 할꼬

하믈며 무덤 위에 잰나비 파람 불 제
뉘우친들 어쩌리

송강은 정적을 무자비하게 내친 서인의 재상이었지만 술을 너무 좋아하여 정사를 소홀히 한 적도 많다. 보다 못한 선조가 하루 한 잔만 먹으라고 내려준 은잔을 두드려 늘려 사발만 하게 만들어 술을 마셨다는 일화도 전해 내려온다. 결국 파직당해 내려간 강화에서 술이 원인으로 보이는 병으로 죽었다. 자신의 시처럼 만인이 울며 따르는 죽음은 아니었을지 모르나, 한평생 원 없이 마시다 간 시인이다. 그냥 마신 게 아니라 꽃을 꺾어 한 잔, 두 잔 먹는 풍류를 즐기며 마시는 생애를 살았다.

어렸을 때, 이 시를 처음 배우면서 마지막 연에 나오는 잰나비를 보며 송강이 살던 시기에는 우리나라에도 원숭이가 살았던가? 하고 의아해했다. 중국을 모든 것의 중심에 두었던 그때 시인들은 시적 정서까지 중국에서 빌려와 느꼈음을 이해하는 데는 시간이 좀 걸렸다.

같은 시기에 정송강이 칭찬한 상촌 신흠도 술먹는 즐거움을 노래했다. 신흠은 일찍이 부모를 여의었으나 학문에 전념하여, 벼슬하기 전부터 이미 문명을 떨쳤다. 벼슬에 나가서는 서인인 이이와 정철을 옹호하여 동인의 배척을 받았다. 뛰어난 문장력으로 많은 한시와 시조를 남겼다.

> 술먹고 노는 일을 나도 왼줄 알 것 마는
> 신릉군(信陵君) 무덤 위에 밭 가는 줄 못 보셨나
> 백년이 초초하니 아니 놀고 어이리.

> 술이 몇 가지요 청주와 탁주로다
> 먹고 취할망정 청탁이 관계하랴
> 달 밝고 풍청한 밤이어니 아니 깬들 어떠리

신릉군은 전국시대 유명한 네 명의 공자중 한 명이다. 사람이 어질어 마음 씀씀이가 두텁고 후덕하여 그의 문하에 3000명의 식객(食客)이 있었다고 한다. 그런 신릉군조차 죽은지 몇백 년 지나자 무덤이 밭이 되었으니 짧은 우리네 삶에 아니 먹고 어이하랴? 고 노래한다.

청주와 탁주는 소주와 막걸리를 말할 수 있겠지만, 그 시대에는 그런 의미에서 한 발 더 나간 의미가 있었다. 진수가 지은 《삼국지, 위지》에는 금주령에도 불구하고 서막이라는 문인이 몰래 술을 마시며 술이라는 말을 피하려고 청주를 성인이라 하고 탁주를 현인이라고 불렀다는 고사가 있다. 또 이백의 〈독작〉이라는 시에도 같은 고사가 있다. 따라서 청주 탁주에는 성인과 현인도 모두 술을 마시며 취한다는 뜻도 숨어 있을 터이다.

정송강이 친구인 성혼과 술 한 잔 먹을 생각에 달음질쳐 가는 마음을 표현한 시조도 있다. 둘째 련에서는 기쁜 마음에 설레고 들떠서 소를 발로 박차고 지끈 눌러 타는 모습을 그렸는데 표현 중에 백미라 할 수 있다. 얼마나 마음이 급하고 빠른지 소를 타고 나서자마자 벌써 친구 집 앞에 도착해 있다.

> 재 넘어 성권농 집에 술 익단 말 어제 듣고
> 누운 소 발로 박차 언치 놓아 지즐 타고
> 아이야 네 권농 계시냐 정좌수 왔다 하여라

짧은 마흔 여덟자로 이렇게 속도감 있는 시를 지을 수 있는 송강의 시재가 부럽다. 그러나 송강의 시 중에는 이런 속도감 있는 시 만 있는 게 아니라 아주 천천히 흘러가는 시도 있다.

> 물 아래 그림자 지니 다리 위에 중이 간다
> 저 중아 게 서거라 네 가는 데 물어보자
> 손으로 흰 구름 가리키고 말 아니코 가더라

한 폭의 유장한 수묵화를 보는 듯한 이런 모습을 짧은 시에 나타낼 수 있는 송강이었다. 그가 비록 정치가로는 논란이 있을지 모르나 시인으로서는 여전히 높이 평가 받는 이유이다.

대부분 우리 선조들은 그저 취하려고 술을 마신 게 아니라, 친구가 좋아서 혹은 자연 속에서 혼연일체가 되어 술을 즐겼다. 달빛 아래 소박하게 술을 즐기는 모습을 노래한 시조도 보인다.

> 짚방석 내지 마라 낙엽엔들 못 앉으랴
> 솔불 혀지 마라 어제 진달 돋아온다.
> 아이야 박주산채일망정 없다 말고 내어라.

역시 선조 때 유명한 한호(석봉)의 시조이다. 그의 글씨는 조선뿐 아니라 중국에서도 유명하였다. 직업 서예가에 가까웠던 석봉은 문학작품이 많지 않지만 단 두 편의 시조를 남겼다. 두 번째 시조도 앞의 시조와 거의 같은 정서를 보인다. 문예작품이 그의 성품을 모두 나타내는 것은 아니지만 적어도 한석봉이 추구했던 세상은 보여주고 있다.

> 젓소리 반겨 듣고 죽창(竹窓)을 바삐 여니
> 세우장제(細雨長堤)에 쇠 등에 아이로다
> 아이야 강호에 봄 들거다 낙대 추심(推尋) 하여라

이들보다 조금 늦은 숙종 때 벼슬하지 않고 학문을 연구하여 주역과 예기에 관한 여러 저술을 남긴 문인 남도진(농환재)이 있다. 그는 빼어난 가사인 〈낙은별곡〉과 함께 단 세 수의 시조를 남겼다. 그중 한 수가 냇가에 앉아 즐기는 술과 관련된 시조이다.

춘산에 비 갠 후에 포기마다 꽃이로다.
일호주(一壺酒)가지고 냇가에 앉았으니
물 위에 도화 범범하니 무릉인가 하노라

도연명의 도화원기를 벗어나지 못하는 점이 약점이긴 하지만, 그가 이런 시조조차 남기지 않았다면 지금 기억될 수 있을까?

훌륭한 저술보다 한가한 때 시간을 내 여기(餘技)로 지은 가사 한 편과 시조 몇 수가 지금은 기억되고 있다. 비슷한 시기 문집도 많이 남기고 영의정을 지낸 남구만이 '동창이 밝았느냐' 로 시작되는 시조 한 수로 기억되는 것과 마찬가지이다. 한 편의 시가 도저한 저술보다 더 생명이 길다. 내친김에 〈낙은별곡〉에 나오는 동네 사람과 어울려 술 마시는 장면도 한 번 살펴보자.

남쪽 마을 늙은 벗님 북쪽 이웃 젊은 무리
송단 위에 섞여 앉아 차례 없이 술을 부어
두세 잔 기울이고 무슨 말씀 하옵나니
앞 논에 벼 좋았소, 뒷 내에 고기 많소.
봄 산에 비온 후에 고사리도 살쪘다네.
한가로운 이런 말씀 소일하기 족하거니
시끄러운 큰 시비야 귓결엔들 들릴소냐.

이처럼 제아무리 유명 인사라도, 술꾼이라면 취흥이 도도하게 오를 때 시를 한 수 쯤은 남겨야 후세에 이름을 남길 수 있을진저! 그 술이 비록 막걸리거나 값싼 소주라 할 지라도 한 구절의 시와 함께 한다면 최고급 양주나 와인보다 더 값진 술이 되리라.

지금부터 중국 고전인 시경에 나오는 술과 관련된 시, 도연명 이백 백거이 등 중국 시인의 시부터 조선 시대와 근 현대 우리 시인들의 시까지 차례로 감상해 보기로 하자. 조선 시대 우리 선조들은 한시도 많이 지었지만 한문으로 지은 시는 우리 정서를 잘 표현한다고 보기 어려워 여기서는 제외하였다. 또 빼어난 가사작품도 많지만 지면의 제약으로 시조작품에 한정한 점이 아쉽다.

2. 시경에 나오는 술과 관련된 시

중국 고전을 대표하는 사서삼경 중에서 술과 관련된 내용이 제일 많은 것은 역시 시(詩)의 어원인 된 시경(詩經)이다. 한나라 시절 유학자들에 의해 경전으로 높여지면서 '경(經)'이라는 말이 붙었지만, 원래는 그저 '시(詩)'로 불렸다고 한다. 공자가 편찬했다고 전해 오는 시경에는 술과 관련된 시가 여러 편 나온다.

시경은 본래 주나라 시대에 여러 나라에서 불리던 노래의 가사를 모은 책이다. 지금으로 따진다면 유행가 가사집이나 민요 가사집에 해당한다. 특히 국풍이라 불리는 15개 나라 160여 편 노래는 남녀간 사랑과 이별, 시집살이 고달픔이나 삶의 애환과 같은 백성들의 일상을 노래한 시가 많다. 나머지는 임금에 대한 찬양이나 제사 때 부르는 노래 등 약 140수로 이루어 있다. 국풍의 시는 서정성이 풍부하고 표현도 현대에 어울릴 만큼 잘 되어있어 주목을 받고 있다. 과거에는 경전으로 억지 해석해서 견강부회하는 경향이 있었지만, 지금은 아름다운 시 자체로 감상하는 경우가 많다.

시경에 나오는 술 노래는 크게 세 가지로 분류해 볼 수 있다. 첫째는 개인의 근심을 달래거나 흥취에 젖어 마시는 술, 둘째는 조상에게 제사를 지내면서 마시는 술, 마지막으로는 잔치에 손님들과 마시는 술에 대한 시 등이다.

(1) 개인의 근심과 흥취 관련 시

주남 노래, 도꼬마리를 뜯으며 (권이, 卷耳)

도꼬마리 아무리 뜯고 뜯어도　　광주리에 채워지지 아니합니다.
아아 그리운 나의 님이여　　나물은 뜯어서 무엇 합니까

님 보일까 높은 곳에 올라가는데　　내 말이 힘이 들어 헐떡입니다
님과 마실 금 술잔에 술을 부어서　　남 몰래 그리움을 달래 봅니다.

패나라 노래, 잣나무 조각배 (백주, 柏舟)

둥실 둥실 잣나무배 하염없이 떠내려가는데
밤새 잠 못 이름은 뼈저린 시름 때문인가?

술 마시며 나가 노닐지 못할 것도 아니건만
내 마음 거울 아니니 남이 알아줄 리 없고

형제가 있다 하나 믿을 수 없네
가서 하소연해 봤자 노여움만 살 게고

정나라 노래, 아내의 속삭임 (여왈계명, 女曰鷄鳴)

"닭이 우네요"
"아직 어두운 걸"
"일어나 밖을 보세요 샛별이 반짝여요"
"새들이 날아다니네! 오리랑 기러기 잡아 올까?"

"주살로 맞추면 당신 위해 안주 만들께요
안주 만들어 술 마시며 그대와 해로하지요
옆에 금슬 있으니 모두 즐겁고 행복하겠죠"

이처럼 삼천 년 전에도 술은 님 생각하며 근심에 겨워 한 잔 하거나 아니면 사랑하는 남편과 마주 앉아서 행복해하며 마시던 음료였다.

특히 마지막에 소개하는 '아내의 속삭임'은 정나라 노래인데 남편이 새벽에 일어나기 싫어하자 아내가 달래며 대화하는 대화체로 되어있다. 게으른 남편이 어쩔수 없이 일어나 나가려 하자 아내는 안주감을 잡아오면 함께 술 한잔하자며 달래는 모습이다. 출근하기 싫어 게으름 피우는 남편에게 퇴근하면 같이 와인 한잔하자며 달래는 부인의 모습이 저절로 떠오르면서 입가에 미소를 짓게 만드는 시 아닌가?

(2) 조상에게 지내는 제사를 노래함

주송 풍년이 왔네 (풍년, 豊年)

풍년 들어 기장이며 벼가 풍성하여
높다란 창고에는 한 없이 쌓여 있네
술 빚고 단술 걸러 조상들께 바치어
갖은 예를 다하니 내리는 복 아름답네

가을걷이를 하니 풍년이 들어 곡식이 가득 쌓여 있다. 이런 풍요로운 농사를 도와 준 조상님들께 그냥 지나갈 수는 없다. 모두 모여서 술과 음식으로 조상께 예를 다해 제사를 지내는 노래이다. 우리 민족도 영고라 하여 하늘에 제사 지내고 모두 모여 술 마시고 춤추고 노래하며 지냈다는 기록이 있다. 중국의 주 나라도 우리와 같이 가을에는 추수감사제를 올렸을 것이다.

(3) 잔치를 즐기며 노래함

소아 통발에 걸린 고기 (어리, 魚麗)

통발에 걸린 고기 자가사리 모래무지
군자에게 술이 있네 맛있는 술 많이 있네

통발에 걸린 고기 방어하고 가물치라
군자에게 술이 있네 많은데다 맛도 좋네

통발에 걸린 고기 메기하고 잉어일세
군자에게 술이 있네 맛있는 술 많이 있네

음식이 풍성하니 이 아니 좋을시고
음식이 맛 있으니 우리 함께 먹어 보세
음식이 푸짐하니 때맞추어 즐겨보세

이 노래에는 자가사리부터 메기 잉어까지 여러 종류의 물고기가 나온다. 삼천 년 전 단백질 공급원은 산과 들에서 잡은 사슴이나 노루고기가 최고이다. 하지만 이런 짐승들은 사냥하기가 쉽지 않다.

시경에는 들에서 잡은 노루를 띠풀로 곱게 싸서 어여쁜 아가씨에게 선물하는 노래도 나온다. 그에 못지않게 중요한 것이 호수나 강에서 잡는 물고기이다. 낚시나 통발로 커다란 메기 잉어 등이 잡히면 노래에서처럼 풍성한 안주와 함께 맛있는 술을 먹는 잔치를 아니 열 수가 없다.

(4) 술 취해서 흥청망청

소아, 잔치에 오신 손님 (빈지초연, 賓之初筵)

손님 모여 잔치하니 좌우 모두 질서 있네
음식 그릇 매우 많고 고기 갈비 벌여있네
술맛은 매우 좋아 술 마시며 화락하네
풍악을 벌려놓고 술잔 들고 왔다 갔다
(중략)
취하지 않았을 땐 위엄 예의 빈틈 없더니
술 취한 뒤엔 위엄과 예의 허술해지네
이래서 술 취하면 질서 없다 말했지
(중략)
손님들이 술 취하니 떠들고 소리치네
그릇들을 뒤엎으며 뒤뚱뒤뚱 춤을 추네
그래서 술 취하면 제 잘못을 모른다지
비스듬이 고깔 쓰고 비틀비틀 춤을 추네
(중략)
말 받아주지 말고 주정 못하게 해야 해
말 아닌 말 하지 말고 횡설수설 안 해야지
술 취한 사람 말을 들어 주다간
새끼 염소 잡아 오라 강요 당하지
술 석잔이면 의식을 잃게 되는데
더 마시라 또 마시라 권할손가

이 시는 분량이 제법 긴 시이다. 처음에는 위엄을 지키며 점잖게 앉아 술 마시던 손님들이 점차 취해가는 모습을 재미있게 그리고 있다. 떠들고 소리치고, 비틀거리며 춤도 추고 모자는 비스듬이 쓰고 있는 모습이 재미있다. 급기야는 횡설수설 한 말을 또 하고, 말도 안되는 요구도 하게 된다. 의식을 잃을 정도로는 술을 권하지 말라는 권고가 지금에도 어울리는 권고 아닌가?

3. 술과 시 하면 생각나는 중국시인?

대표적인 시인은 도잠(도연명) (365~427년), 이백(이태백) (701~762년), 백거이(백낙천) (772~846년) 이 세 사람을 들 수 있을 것이다. 각 시인의 음주 스타일을 알 수 있는 시를 소개해 보자.

(1) 도연명의 은거와 술

술 끊기 어려워라 (지주 止酒)

평생 술을 즐겼으니	平生不止酒
술 없으면 기쁨도 없고	止酒情無喜
저녁에 안 마시면 잠 못 자고	暮止不安寢
아침에 안 마시면 깨지 못하노라	晨止不能起
매일같이 술 끊으려 했으나	日日欲止之

건강 상태가 고르지 못했노라 營衛止不理
안 마시면 즐겁지 못한 줄만 알지 徒知止不樂
내 몸에 이로운 줄을 몰랐노라 未知止利己

기쁜 일 있으면 마땅히 즐겨야 하거늘 得歡當作樂
말술 준비해 이웃 불러 모아 함께 마신다 斗酒聚比隣 「雜詩」
其一首

소나무 아래 낙엽을 깔고 班荊坐松下
술 몇 잔에 벌써 취했네 數斟已復醉 「飮酒」
其十四首

이처럼 도연명은 술 없으면 잠 들지 못하고 매일 같이 술을 마셔 건강상태도 좋지 않았다. 그러나 그는 친구나 이웃과 즐겨 어울려 마시고, 낙엽 위에서도 마시는 소탈함을 즐겼다. 벼슬을 버리고 전원에 돌아와서 속세를 초월한 듯이 산 그였지만 가슴 속 한편에는 아쉬움도 남아있어 그것을 술로 푼 듯하다. 그의 시 중에서 유명한 음주라는 시를 보면 언뜻언뜻 그런 모습이 보인다.

술 마시고 부르는 노래 20수 중 (음주, 飮酒), 도연명

음주 제5수

사람사는 곳에 오두막을 지었지만 結廬在人境(결려재인경)

수레 끄는 소리 말 울음소리 시끄럽지 않네. 而無車馬喧(이무거마훤)

어찌 그럴 수 있냐고? 問君何能爾(문군하능이)

마음이 멀어지면 집은 절로 외딴 곳이 되는 법 心遠地自偏(심원지자편)

동쪽 울타리 밑에서 국화를 꺾어 들고 採菊東籬下(채국동리하)

멀리 남산을 바라보네. 悠然見南山(유연견남산)

산 기운은 해 저물어 아름답고 山氣日夕佳(산기일석가)

새들은 짝 지어 돌아오누나 飛鳥相與還(비조상여환)

이 가운데 참뜻이 있어 此中有眞意(차중유진의)

말로 드러내려다 할 말을 잊고 말았네 欲辨已忘言(욕변이망언)

음주 제7수

가을 국화가 아름다운 빛을 띠었는데 秋菊有佳色(추국유가색)

이슬에 젖으면서 그 꽃봉오리를 따도다. 裛露掇其英(읍노철기영)

그 꽃봉오리를 이 근심을 잊는다는 술에 띄우니 汎此忘憂物(범차망우물)

나에게 속세를 멀리하는 정을 갖게 하네. 遠我遺世情(원아유세정)

잔 하나로 혼자 마시다 취하니 一觴雖獨進(일상수독진)

술잔이 비면 술병을 안고 쓰러지지요 杯盡壺自傾(배진호자경)

해가 지자 모든 움직임이 쉬고 日入群動息(일입군동식)

돌아가는 새들도 숲으로 가면서 지저귀네 歸鳥趨林鳴(귀조추림명)

동쪽 처마 밑에서 휘파람 불며 오만해 하니 嘯傲東軒下(소오동헌하)

애오라지 다시 이 멋진 삶을 얻는가 보오 聊復得此生(요부득차생)

이 시는 도연명의 시 중에서 귀거래사와 더불어 가장 많이 알려진 시이다. 특히 〈음주, 제5수〉의 '동쪽 울타리 밑에서 국화를 꺾어 들고, 멀리 남산을 바라보네'라는 구절과 〈음주, 제7수〉의 '해가 지자 모든 움직임이 쉬고, 돌아가는 새들도 숲으로 가면서 지저귀네'라는 구절은 많은 시인이나 문인들이 뛰어난 표현이라고 감탄했던 문장이다. 꽃봉오리를 근심 잊는다는 술에 띄운다는 구절의 망우물(忘憂物)은 술의 별칭으로 지금도 쓰이고 있다.

(2) 이백의 울분과 술

이백은 지금의 감숙성에서 태어났다. 그의 선조는 수나라 말에 서역에서 왔다고 한다. 아버지가 중앙 아시아에서 장사를 하던 무역상이었기 때문에 어린 시절 이백은 정규 교육을 받지 못했으나 집안은 부유했다고 알려진다..

아버지의 유산을 소비하며 몰락한 귀족의 자제들과 어울리기도 하고 유랑생활을 하며 강남(江南) 지역을 여행하였다. 쓰촨성 각지의 산천을 유람하기도 하였으며 도교를 수양하기도 했다. 이백의 생애는 방랑으로 시작하여 방랑으로 끝났다고 할 수 있다. 잠깐 하지장의 천거로 벼슬을 하기도 했으나 오래하지 못하였다. 재능은 있으나 출세하지 못한 한을 술과 시로 풀었다고 할 수 있다. 일생 불우한 처지를 당한 적이 많아 시 작품이 호방하기는 하지만 퇴폐적이라는 평을 받기도 한다.

술 기다리기 어려워라 (대주부지, 待酒不至)

옥 항아리에 청실 매어	玉壺繫靑絲
술 사오라 했거늘 어찌 이리 늦는가	沽酒來何遲
산 꽃은 나를 향해 웃고	山花向我笑
딱 술 마시기 좋을 때구나	正好銜杯時
저녁에 동쪽 창가 아래에서 술잔 드니	晩酌東窓下
꾀꼬리 다시 이쪽으로 날아와 우네	流鶯復在玆
봄바람과 취한 사람	春風與醉客
오늘 따라 사이 좋네	今日乃相宜

달 아래 홀로 술 마시며 (월하독작, 月下獨酌,其一首)

꽃 사이에 술 한 병 놓고	花間一壺酒(화간일호주)
벗도 없이 홀로 마신다.	獨酌無相親(독작무상친)
잔을 들어 밝은 달 맞이하니	杯邀明月(거배요명월)
그림자 비쳐 셋이 되었네.	對影成三人(대영성삼인)
달은 본래 술 마실 줄 모르고	月不解飮(월기불해음)
그림자는 그저 흉내만 낼 뿐.	影徒隨我身(영도수아신)
잠시 달과 그림자를 벗하여	暫伴月將影(잠반월장영)
봄날을 마음껏 즐겨보노라.	行樂須及春(행락수급춘)

(하략)

달 아래 홀로 술 마시며 (월하독작, 月下獨酌,其二首)

(상략)

청주는 성인에 비한다고 들었고	已聞淸比聖
탁주는 현인과 같다고 말하네	復道濁如賢
성인과 현인을 이미 다 마셨으니	賢聖旣已飮
신선을 구할 필요가 있느냐	何必求神仙
석 잔이면 대도에 통하고	三杯通大道
한 말이면 자연과 합쳐진다	一斗合自然
오직 술 속에서만 흥취를 얻게 되나니	但得酒中趣
술 깬 자에겐 전하지 말게나	勿爲醒者傳

(하략)

옥 항아리에 청실을 매어 술병을 장식한다는 표현에서 그의 호기 어린 성격과 젊은 시절 돈에 구애받지 않고 사치했던 모습을 짐작할 수 있다. 달그림자와 셋이 술을 마신다는 구절이나, 청주는 성인이고 탁주는 현인과 같다는 표현은 많이 인용되는 표현들이다.

(3) 백거이의 낙천적인 술

백거이는 가난한 학자 가문에 태어났으나 형부상서라는 높은 관직에까지 올라 74세로 장수하며 유복한 말년을 보냈다. 그래서 그의 시는 도연명이나 이백처럼 은거하거나 울분을 토하는 내용은 거의 없다. '백락천아 그만하면 잘 살았다'는 시를 지을 만큼 자신의 생애에 만족하는 낙천적인 면이 많다.

현존하는 시 작품은 총 3,800여 수로 당나라 시인 가운데 최고 분량을 자랑하고 시의 내용도 다양하다. 짧은 문장으로 누구든지 쉽게 읽을 수 있는 것을 중시했다. 시를 지을 때마다 글을 모르는 노인에게 자신이 지은 시를 읽어주면서, 노인이 이해하지 못하는 부분이 있으면 쉬운 표현으로 바꿨다고 한다. 이렇게 지어진 그의 시는 사대부 계층뿐 아니라 기녀, 목동 같은 신분이 낮은 사람들에게까지 애창되는 시가 되었다.

음주 스타일도 술 마시고, 거문고 타고, 친구들과 즐겁게 담소하며 즐기는 스타일이다.

배불리 먹고 나서 (식포, 食飽)

배불리 먹고 베개 털고 눕고	(식포불침와 食飽拂枕臥)
충분히 자고 일어나 한가히 시를 읊는다.	(수족기한음 睡足起閒吟)
가볍게 한 잔의 술을 마시고	(천작일배주 淺酌一杯酒)
천천히 거문고 노래 몇 곡을 타노라	(완탄삭성금 緩彈數聲琴)

(하략)

대주(對酒)

달팽이 뿔 위에서 무슨 일로 다투나?	(와우각상쟁하사蝸牛角上爭何事)
부싯돌 번쩍이는 찰나에 몸을 맡기네.	(석화광중기차신石火光中寄此身)

부유하고 가난한 대로 잠시나마 즐거우니 (수부수빈차환락隨富隨貧且歡樂)
입을 벌려 웃지 않으면 바보로세. (불개구소시치인不開口笑是痴人)

술을 권하며 (권주 勸酒)

첫 술잔을 권하노니 이 사람아 사양말게 勸君一杯君莫辭(권군일배군막사)
둘째 잔을 권하노니 이 사람아 의심말게 勸君兩杯君莫疑(권군양배군막의)
셋째 잔을 권하노니 이제 내 맘 알아주네 勸君三杯君始知(권군삼배군시지)
내 얼굴은 오늘날이 어제 보다 늙었어도 面上今日老昨日(면상금일노작일)
취했을 때 내 마음은 깰 때보다 훨 낫다네 心中醉時勝醒時(심중취시승성시)

하늘과 땅 아득하고 절로절로 장구하며 天地遙自長久(천지초요자장구)
달과 해는 서로서로 달려가며 세월가네 白兔赤烏相趨走(백토적조상추주)
죽고 나서 쌓아둔 금 북두성에 이르러도 身後堆金北斗(신후퇴금괘북두)
살아생전 마셔대는 한 잔술만 못하다네 不如生前一樽酒(불여생전일준주)
(하략)

4. 조선시대 술 마시는 노래

조선시대 시인들이 술을 즐기는 이유는 대략 네 가지로 분류해 볼 수 있다.
첫째는 벗과 더불어 마시는 술
둘째는 시름이나 걱정을 덜기 위해 마시는 술
셋째는 계절이나 때가 술 먹기 맞춤해서 마시는 술

마지막은 이도 저도 아니고 그저 술이 좋아서 마시는 술이다.

하지만 이는 억지로 나누어 본 것이고 결국은 슬플 때나 기쁠 때나 벗과 더불어 아니면 혼자서라도 술을 마셨다. 술 마실 핑계는 백 가지가 넘는다는 시중의 이야기가 맞는 것이다. 억지로나마 나누어 본 네 가지에 해당하는 시조들을 해설 없이 읽어보기로 하자.

(1) 벗과 더불어 마시는 술

자네 집에 술 익거든 부디 날 부르시소
내 집에 꽃 피거든 나도 자네 청하옵세
백년 덧시름 잊을일 의논코자 하노라 (김 육)

거문고를 골라 놓고 홀연히 잠이 드니
시비에 개 짖으며 반가운 손 오노매라.
아희야 점심도 하려니와 탁주먼저 걸러라.

창 밖에 국화 심어 국화 밑에 술을 빚어
술 익자 국화 피자 벗님 오자 달 돋아온다
아이야 거문고 청(淸)쳐라 밤새도록 놀리라
  거문고의 음을 고르기 위해 6줄 가운데 청현의 음을 친다

꽃피면 달 생각하고 달 밝으면 술 생각하고
꽃피자 달 밝자 술 얻으면 벗 생각하네
언제면 꽃 아래 벗 데리고 완월장취 하려뇨 <이정보 >

(2) 시름을 잊는 술

이러니 저러니 말고 술만 먹고 노세 그려
먹다가 취커든 먹은 채로 잠을 들어
취하고 잠든 덧이나 시름 잊자 하노라

술을 취케 먹고 두렷이 앉았으니
억만 시름이 가노라 하직한다
아해야 잔 가득 부어라 시름 전송하리라 <정태화>

술아 너는 어이 달고도 쓰돗더니
먹으면 취하고 취하면 즐겁고야
인간의 번호(繁浩)한 시름을 다 풀어 볼까 하노라

(3) 술 먹기 좋은 때

대추볼 붉은 골에 밤은 어이 뜻 들으며
벼벤 그루에 게는 어이 내리는고
술익자 체장수 돌아가니 아니 먹고 어이하리 <황 희 >

곡구롱 우는 소리에 낮잠 깨어 일어보니
작은아들 글 읽고 며늘아기 베 짜는데
어린손자 꽃놀이한다
마초아 지어미 술 거르며 맛보라고 하더라 <오경화 >

백설이 만건곤하니 천산이 옥이로다.
매화는 반개하고 죽엽이 푸르렀다.
아희야 잔 가득 부어라 흥을 겨워하노

강호에 봄이 드니 미친 흥이 절로 난다
탁료 계변에 금린어 안주로다
이 몸이 한가하옴도 역군은 이샷다 <맹사성>

(4) 그저 좋은 술을 어이하리

잔들고 혼자 앉아 먼 뫼를 바라보니
그리운 님이 오다 반가움이 이러하랴
말씀도 우움도 아녀도 못내 좋아 하노라 <윤선도 >

살아서 먹던 술을 죽은 후에 내 알더냐
팔진미 천일주를 가득 벌여 놓았은들
공산에 긴 잠 든 후는 다 허사인가 하노라 <오준>

뉘라서 날 늙다던고 늙은이도 이러한가
꽃 보면 반갑고 잔 잡으면 웃음난다
춘풍에 흩나는 백발이야 난들 어이 하리오 <이중집>

술 깨어 일어 앉아 거문고를 희롱하니
창 밖에 섰는 학이 즐겨서 넘노는다
아이야 남은 술 부어라 흥이 다시 오노매라 <김성최>

5. 근·현대 한국 시인들의 술 노래

우리 정서를 노래한 김소월은 많은 아름다운 시를 남겼다. 유독 그의 시가 노래로 많이 불린 것도 그 때문이다. 얼핏 떠오르는 노랫말이 된 시만 해도 〈개여울〉〈엄마야 누나야〉〈초혼〉〈그리워〉등 등 모두 세기 어려울 정도다. 1960년대와 70년대 난해한 시가 유행할 때 폄하되기도 했지만, 지금은 난해한 시를 읽지는 않는다. 그저 교과서에만 문학사적으로 의미 있는 몇 몇 난해한 시가 실릴 뿐이다. 읽기 쉬우면서 감동을 주는 작품이 최고라고 한 중국 시인 백락천의 말이 진리처럼 보인다. 토속정서를 노래한 시인인 김소월도 술에 대한 시를 남겼다. 영탄조를 벗어나지 못하는 약점이 보이기는 하지만 앞서 소개한 조선 시조와 비슷한 점이 많이 보인다.

(1) 김소월

님과 벗 (김소월)

벗은 설움에서 반갑고
님은 사랑에서 좋아라.
딸기꽃 피어서 향기로운 때를
고초의 붉은 열매 익어가는 밤을
그대여, 부르라, 나는 마시리.

청록파 시인으로 알려진 조지훈과 박목월은 김소월의 정서를 발전시켜 좀더 아름답게 표현한 시인이다. 아래 두 편의 시는 조지훈의 시에 박목월이 화답한 시이다. 과거 조선 시대에는 한시로 화답을 한 시들이 많이 보이는데, 현대 시인에게는 드물다.

(2) 조지훈과 박목월

완화삼, (부제 목월에게), 조지훈

차운산 바위 위에 하늘은 멀어
산새가 구슬피 울음 운다

구름 흘러가는
물길은 칠백리

나그네 긴 소매 꽃잎에 젖어
술익는 강마을의 저녁 노을이여

이 밤 자면 저마을에
꽃은 지리라

다정하고 한 많음도 병인 양하여
달빛 아래 고요히 흔들리며 가노니

나그네, (부제 술 익는 강마을의 저녁 노을이여), 박목월

강나루 건너서
밀밭 길을

구름에 달 가듯이
가는 나그네

길은 외줄기
남도 삼백리

술익는 마을 마다
타는 저녁 놀

구름에 달 가듯이
가는 나그네

마지막으로 현대 시인 중에서 쉬운 시로 이름난 정호승과 나태주의 시를 각 한 편 소개하는 것으로 시와 술에 대한 짧은 글을 마무리한다.

(3) 정호승과 나태주

술 한잔 (정호승)

인생은 나에게

술 한잔 사주지 않았다

겨울밤 막다른 골목 끝 포장마차에서
빈 호주머니를 털털 털어
나는 몇 번이나 인생에게 술을 사주었으나
인생은 나를 위해 단 한 번도
술 한잔 사주지 않았다

눈이 내리는 날에도
돌연꽃 소리 없이 피었다
지는 날에도

식욕 (나태주)

식욕은 삶의 의욕
삶의 찬가
먹고 싶을 때 먹어라
마음껏 먹어라
그렇다고 너무 많이 먹어서
뚱보가 되지는 말아라

술마시는 건 낭만의 시작
빙글빙글 돌아가는 세상이 있다
눈부시게 보이는 하늘이 있다

마실 수 있을 때 실컷 마셔라
그렇다고 술주정뱅이가 되지는 말아라

너의 식욕을 축복한다
너의 음주를 찬양한다
고기를 주는 짐승들에게 미안한 일이지만
고기도 먹고 싶을 때 먹어둬라
언젠가는 먹으라 해도
먹지 못할 때가 온단다

| 참고문헌 |

이기동,『시경강설』, 성균관대출판부(2007.2)

진성수,「시경의 음주시 연구」,『유교사상문화연구 제81집』(2020.9)

윤석우,「음주시에 나타난 중국시인의 정신세계」연세대 중어중문학과 박사학위청구 논문(2004.12)

김흥규 외,『고시조대전』,고대 민족문화연구원(2012.7)

신경숙 외,『고시조문헌해제』,고대 민족문화연구원(2012.8)

석야 신웅순 블로그,『묵서재』시 시조이야기 네이버블로그 blog.naver.com

I

이백의 시에서 본 술의 예술정신

조병수

조병수

홍익대학교 미술대학원에서 동양화를 전공하였으며, 성균관대학교에서 목은 이색의 '천인무간'사상을 미학적으로 해석하는 논문으로 철학박사 학위를 받았다. 개인전 및 아트페어 부스전 6회, 단체전 60여회에 참가하는 등 수묵산수화가와 서예가로 활동하고 있으며, 옛 그림을 통하여 한국인의 우수한 정신사상을 전파하기 위한 인문학 강의를 병행하고 있다.

1. 술과 예술인

술을 마시면 흥이 나고, 흥이 나니 노래가 나오고 춤이 나온다. 일반인들이야 흥이 나서 노래하고 춤을 추는 것에 그치지만 예술가들에게서는 시가 나오고, 음악이 나오고, 그림이 나온다. 술을 마시면 왜 이러한 현상이 일어나는 것일까? 술과 예술정신과는 어떤 관계가 있는 것일까? 이러한 것을 찾아보는 것도 재미가 있을 것 같다. 물론 여기서 술을 마신다는 것은 일반적으로 기분 좋게 마시는 술을 말하는 것이지, 술을 빙자하여 나쁜 일을 도모하는 경우는 해당되지 않는다. 술의 예술정신을 이야기하기 전에 먼저 술을 좋아한 조선시대 시인 묵객 중 몇 사람을 들어 그들이 술을 마시는 이유를 살펴보고 넘어가는 것이 좋을 것 같다.

1) 인생, 뭐 별건가(청탁불문 단지 취하고 깨지 않았으면)

> 한 잔 먹세그려 또 한 잔 먹세그려, 꽃 꺾어 산 놓고 무진 무진 먹세 그려.
> 이 몸 죽은 후면 지게 위에 거적 덮어 줄에 매어 가나, 호화로운 관 앞에 만 사람이 울어대나, 어욱새, 속새, 떡갈나무, 백양 속에 가기만 하면, 누런 해 흰 달 가는 비 굵은 눈 소소리 바람 불 제 누가 한 잔 먹자 할꼬. 하물며 무덤 위에 원숭이 휘파람 불 때 뉘우친들 무엇하랴.

조선시대 정철(1536-1593)의 〈장진주가〉다. 그는 인종의 귀인이 된 첫째 누이와 계림군의 부인 된 셋째 누이를 보려 궁궐 출입을 하면서 후에 명종이 되는 경원대군과 친하게 되었다. 27세때 별시 문과에 장원으로 급제하자 어릴 때 친구였던 명종이 왕궁으로 불러 축하연을 베풀어주기도 하였다. 그러나 그의 벼슬살이는 순조롭지는 못했다. 처남을 살해한 경양군의 사건을 맡았는데, 명종이 가벼운 처벌을 명하였음에도 불구하고 경양군을 사형에 처해버렸기 때문이다. 이후에 좌천과 복귀, 유배와 요직 임명 등을 거치면서 서인의 주요 인사가 되었다. 그의 성격은 청렴결백하기도 했지만 성격이 좀 강직했던 모양이다. 남인인 유성룡은 "사람됨이 강직하고 편협하며 은혜와 원수가 분명하다."라고 하였으며, 가까운 벗이었던 이율곡은 "계함은 강직하고 결백한 충의의 선비다. 그의 병은 다만 너그럽지 못한데 있을 뿐이다."라고 하였다. 또한 송시열은 정철의 신도비에, "그는 흉금이 맑고 거침이 없으며 무엇이나 생각하는 바가 있으면 반드시 입밖에 내고야 말며, 사람의 허물을 보게 되면 비록 그가 친구이거나 권세 있는 자라 하더라도 조금도 용서함이 없기 때문에 끝내 화를 산같이 입었다."라고 쓴 것으로 보아 그의 강직하고 결백함을 볼 수가 있다. 그런 그가 술을 좋아하여 대낮에도 만취한 탓에 사모가 항상 비스듬하게 기울어져 있어 관료사회에서는 항상 손가락질을 받았으며, 임금이 불러도 술이 깨지 않아 등청하지 못하는 때도 있었다. 선조가 은잔을 하사하며 '하루에 이 잔으로 한 잔만 마시라.'고 명하니 술잔을 사발만큼 크게 만들어서 마시기도 했다고 한다. 그는 술로 상징된 행복과 즐거움을 백성들과 나누고 싶어하는 마음이 그의 유명한 「관동별곡」에 나온다.

> 솔뿌리를 베고 누워 풋잠이 얼핏 드니
> 꿈에 한 사람이 날더러 하는 말이
> "그대는 내 모르랴 하늘의 신선이라,
> 황정경 글 한 자를 어찌하여 잘못 읽고
> 인간 세상 내려와서 우리를 따르는가.
> 잠깐만 가지 마오 이 술 한잔 먹어보오."
> 북두칠성 기울여 창해 물을 부어서
> 저 먹고 날 먹이며 서너 잔 마시니
> 봄바람이 솔솔 불어 두 겨드랑이 추켜드네.
> 구만리 장천에 좀 더하면 날리로다.
> "이 술 가져다가 사해에 고루 나누어
> 억만 창생을 다 취하게 만든 후에

그제야 다시 만나 또 한 잔 하자구려”

사람은 누구나 술을 마시면 항상 그 이유가 있고 핑계가 따르기 마련이다. 특히 예술인의 경우는 더욱 그러하다. 그러나 정철의 경우는 그 이유를 알기가 어렵다. 그는 선조 때 서인의 영수로써 일인지하 만인지상의 지위에 오를 정도로 출세를 했고 문학적으로는 우리에게 익숙한 〈성산별곡〉,〈사미인곡〉, 〈속미인곡〉을 쓴 작가로 비록 정쟁으로 인하여 그의 문학적 업적이 희석되기도 했지만, 그는 윤선도(1587-1671), 박인로(1561-1642)와 함께 조선의 삼대 문장가로 손꼽히고 있으며 그의 〈장진주가〉는 이백의 〈장진주가〉에 비교될 만큼 그 문장이 뛰어나다. 당시의 유교적인 사회에서 벼슬하는 사람이 자세를 흐트러지게 술을 마시는 경우가 많지는 않은데, 정치적으로나 문장가로서 다 이룬 그가 주정꾼이 되어 많은 사람들의 손가락질을 받은 이유는 무엇일까? 지금 여기서 500년 전에 살았던 정철의 마음을 알 수야 없겠지만 그의 〈객지에서 읊는 노래(客中述懷〉라는 시를 보면 조금은 알 것 같기도 하다.

내 이미 늙은 몸 벼슬에서 언제면 물러나랴
재능이 있고 없고 그게 탓이 아니어라.
시비는 세상에 맡겨야 마음 자연 편하고
안위는 운수에 부쳐야 눈물 비로소 마르리.

굽은 시내 두메 안도 하늘땅 널따랗고
빽빽한 참대 숲도 해 달이 한가롭네.

어부와 목동 벗을 삼아 네야 내야 트고 놀며
복건 쓰고 막대 짚고 거닐기도 하자스라.

시비는 세상에 맡기고 어부와 목동을 벗 삼아 놀면서 문장이나 짓고 살고 싶은데 벼슬에 묶여서 어쩔 수 없이 살아가는 자신이 한심하여 마시는 술이 아닐까.

2) 술을 마셔야 그림을 그리지

그림을 그리기 위하여 술을 마신 대표적인 조선시대 화가는 달마의 그림으로 유명한 연담 김명국이다. 그에 대해서는 알려진 것은 거의 없다. 그가 인조(조선 16대왕, 1595-1649, 재위 1623-1649) 때 화가이며 도화서 화원으로 교수(종6품)까지 지냈으며, 조선통신사의 수행화원으로 두 차례에 걸쳐 일본을 다녀왔다는 정도이다.

김명국은 그림을 그릴 때면 반드시 실컷 취하고 나서 붓을 들었으며, 취한 후에 그림을 그려야 필세는 기운차고 농후하여 신운(神韻)이 감도는 것을 얻게 된다고 한다. 그에게 그림을 요구하는 자는 반드시 큰 술독을 지고 가야 했고, 사대부 중 그를 초대하여 자기 집으로 맞아들이는 자 또한 술을 많이 준비하여 그의 주량을 흡족히 채워준 다음이라야 비로소 김명국은 붓을 잡았다고 한다.

그가 노년에 취옹(醉翁)이라는 아호를 쓴 것도 세상 사람들이 주광이라고 부르는 것과 서로 통하는 바가 있는 것이다.

김명국은 술을 좋아하고 호방한 성격이라 술과 그림에 관계된 이야기도 많지만 그 중 가장 유명한 이야기가 정내교의 「화사 김명국」에 나오는 〈명사도(冥司圖)〉 이야기일 것이다. 〈명사도〉는 명부전에 걸리는 불화로 저승에 가서 염라대왕에게 심판을 받는 '지옥도'를 말한다. 유홍준의 『화인열전』에 나오는 얘기를 요약하여 보자.

한 중이 '지옥도'를 그려 달라고 부탁을 하며 삼베 수십 필을 그림값으로 주었는데 김명국은 그것으로 몇 달 동안 술만 마셨다. 중이 그림을 찾으려 오니 '화의가 아직 일어나지 않았으니 일어날 때까지 기다리라고 하기를 몇 차례 하였다. 어느 날 통음을 하고 취기에 이르렀을 때 드디어 비단을 펴놓고 생각을 가다듬다가 한 붓에 휘둘러 마쳤는데 그림을 보니 머리채를 끌려 형장에 잡혀 가는자, 불에 타는 자, 칼로 베이거나 절구에 짓이겨지는 형벌을 받고 있는 자들이 거의 다 중으로 되어 있었다. 중이 보고 깜짝 놀라서 "아이고, 공께서는 어째서 우리의 중요한 일을 이렇게 그르쳐 놓았습니까"라고 하니, 김명국이 웃으면서 하는 말이 "너희들이 일생동안 하는 악업이 혹세무민하는 일이니 지옥에 갈 자가 너희들이 아니고 누구겠느냐"라고 하며, "너희들이 이 그림을 온전한 것으로 하고자 하거든 술을 더 사 오너라. 내가 너희들을 위하여 고쳐주리라."고 하였다. 이에 중이 술을 더 사오니, 김명국이 가득 따라 마시고는 취기에 의지하여 붓을 잡더니 머리털도 그리고, 수염도 그리고, 중 옷에 색을 칠해 채색으로 그 빛깔을 바꾸어 놓으니 잠깐 사이에 그림이 새롭게 되었다. 중들이 보고는 감탄하여 말하기를 "공은 참으로 천하의 신필이십니다"라고 하며 절하고 갔다고 한다.

김명국에게 술은 그림을 그리기 위한 매개체로서, 그림을 그리기 위하여 술을 마신 조선의 첫째가는 일품화가라고 칭하여지고 있다.

그의 작품으로는 〈달마도〉〈설중귀려도〉등이 있다.

3) 가슴의 응어리를 술로 푼다.

자질과 기풍은 충분히 일가를 이룰 수 있었음에도 자기의 신세를 한탄하며 술로 세월을 보내어 제대로 자기의 세계를 열지 못한 화가는 아마도 최북(崔北1712-1786?)일 것이다. 최북은 영조·정조 시대 화가이다. 최북은 그의 호를 호생관(毫生館)이라고 했다. 본래 그의 이름은 식(植)이다. 이를 북(北)이라 개명하고, 북(北)을 둘로 쪼개어 칠칠(七七)을 자(字)로 삼아 '칠칠'이라고 스스로 불렀다. 호생관이나 칠칠이를 어찌보면 멋있고 낭만적인 것같이 보이지만 천한 신분에 먹고살기가 어려운 처지인 그이고 보면 낭만적이기보다는 세상에 반항하는 듯한 모습이 보인다.

그는 하루에 언제나 5, 6되의 술을 마셨는데 시중의 장사 아이가 술병을 들고 오면 칠칠이는 집안의 종이와 천을 끌어내어 전부 털어주고 사곤 했다. 오기도 대단했던 것 같다. 어떤 지위가 높은 사람이 그에게 그림을 요구했는데 최북은 이를 거절했더니 그림을 요구한 사람이 최북을 협박했다. 최북은 분노하여 "남이 나를 저버리느니 차라리 내 눈이 나를 저버린다"라고 하며, 송곳으로 한쪽 눈을 찔러 애꾸가 되고 말았다고 한다. 또 어느 날 금강산 구룡연에 들어간 일이 있는데 그 경치가 너무 좋아 술을 잔뜩 마시고 울다, 웃다, 하더니 갑자기 소리를 지르면서 "천하 명인 최북은 마땅히 천하 명산에서 죽어야 한다"하고는 몸을 던져 못으로 뛰어내렸는데 마침 구해주는 사람이 있어서 빠져 죽는 것은 면하였다고 한다. 그는 자기 작품에 대한 자부심은 대단했던 모양이다. 어떤 정승이 산수화를 부탁했는데, 그림을 보니 산만 있고 물은 없어서 따졌더니 '이 종이의 여백은 전부 물이다'라고 말하며 붓을 던져버렸다고 한다. 또 그림이 마음에 들지 않는데 대금을 많이 주는 사람에게는 돈을 돌려주면서 그림을 볼 줄 모른다고 손가락질을 하였고, 그림이 마음에 들지 않는데 대금을 적게 주면 그림을 찢어버렸다고 한다.

이렇게 호기로운 최북이지만 세상을 비관하고 남의 비위를 맞추기를 싫어하여 도화원 화원도 하지 않으니 생활이 궁핍하여 그림을 그려서 살 수밖에 없었다.

최북의 모습은 신광수(1712-1775)가 최북의 그림〈설강도〉에 부치는 글인〈최북설강도가〉를 보면 알 수가 있다. 앞부분에서는 최북이 사는 모습을 묘사하고 있다.

> 장안에서 그림 파는 최북이를 보소(崔北賣長安中최북매화장안중)
> 살림살이란 오막살이에 네 벽은 텅 비었네.(生涯草屋四壁空생애초옥사벽공)
> 문을 닫고 종일토록 산수화를 그려대네.(閉門終日山水폐문종일화산수)
> 유리안경 집어쓰고 나무 필통 끌어내어(琉璃眼鏡木筆유리안

경목필통)
아침에 한 폭 팔아 아침밥을 얻어먹고(朝賣一幅得朝飯조매일
폭득조반)
저녁에 한 폭 팔아 저녁밥을 얻어먹고(暮賣一幅得暮飯모매일
폭득모반)

뒷부분에서는 중국 고사에서 나오는 이야기만 그리지 말고 지금 창밖에 내린 눈경치를 그려보라고 한다.

여보게(請君청군)
내가 올 때 본 설강도를 그려주게(寫我來時雪江圖사아래시설
강도)
두미 월계에 절뚝거리는 나귀를 타고 오니(斗尾月溪騎蹇驢두
미월계기건려)
남북의 청산은 모두 눈으로 희고(南北靑山望皎然남북청산망
교연)
어가는 눈에 덮히고 외로운 낚시배 홀로 떠 있네.(漁家壓倒釣
航孤어가압도조항고)
어찌 꼭 파교라 고산이라 풍설 속에(何必壩橋孤山風雪裏하
필패교고산풍설리)
맹처사 임처사만 그려야 하는가(但畵孟處士林處士단화맹처
사임처사)
나와 같이 도화수를 떠서(待爾同泛桃花水대이동범도화수)
설화지에 다시 봄산을 그려보게(更畵春山雪花紙갱화춘산설
화지)

중국의 맹처사, 임처사의 그림만 그리지 말고, 내가 나귀를 타고 오면서 본 눈으로 덮힌 우리의 아름다운 경치를 그려보라고 하는 것이다.

두미, 월계는 한강 상류의 양수리 부근을 말하고, 파교는 당나라 수도인 장안에서 교외로 나가는 다리 이름이며 고산은 중국의 항주 서호에 있는 산을 말한다. 당시의 시인인 맹호연(689-740)이 이 파교를 건너 매화를 찾아가는 그림과 고산에서 매화를 처로 삼고 학을 아들로 삼아 은둔 생활을 한 송나라 때의 임포(967-1028)를 주제로 한 그림이 많았는데, 최북이 그러한 그림만 임모하고 있다고 아쉬워하는 것이다.

그의 작품 중에는 활달하면서도 씩씩한 필 맛을 느낄 수 있는 〈공산무인도〉, 〈관폭도〉등 대가의 솜씨다운 작품이 많다. 하지만 최북은 비록 가난과 미천한 신분 때문에 그의 자질을 충분히 발현할 수 없었기도 하였지만, 그의 삐뚤어진 성격으로 자기의 개성을 살려 일가를 이루지 못하고, 한갓 그림을 팔아 살아가는 호생관으로 알려지는 데 그치고 있다.

최북에게서의 술은 그림을 그리기 위한 매개체이기도 하겠지만, 자신의 처지 때문에 생겨난 응어리를 푸는 술이기도 하다.

2. 왜 이백인가?

술에 어떤 정신이 있어 예술인들이 그렇게 술을 마시고 작품을 하는 것일까. 시인 묵객들이 술을 마시는 이유가 다 다르겠지만 술로 인하여 좋은 시와 그림이 나왔다면 술과 예술에는 서로 연관된 예술정신이 있을 것이다. 이 예술정신을 이백을 통하여 찾아보려고 한다.

왜 이백인가?

첫째로 그는 우리가 다 아는 한 많은 풍류객이기 때문이다.

술을 좋아하고 달을 사랑한 중국의 대시인 이백(중국 당나라, 701-762)은 지금까지도 중국은 물론이거니와 우리나라에서도 많은 사랑을 받고 있다. 우리가 아는 이백은 멋있는 풍류객이다. 그러나 그의 일생은 그렇게 순탄하지 않았다. 그의 유명한 〈장진주가〉를 읽어보면 그가 술을 마시는 마음을 조금은 알 수가 있을 것이다. 좀 길지만 다 보기로 하자.

> 그대는 보지 못하였는가(君不見군불견)
> 황하의 물이 하늘로부터 내려와(黃河之水天上來황하지수천상래)
> 바다로 이르러면 다시 돌아오지 않음을! (奔流到海不復回분류도해불부회)
> 그대는 보지 못 하였는가(君不見군불견)
> 고당명경에 비친 백발의 슬픈모습, (高堂明鏡悲白髮고당명경비백발)
> 아침에 검은머리 저녁때 눈처럼 희게됨을! (朝如青絲暮成雪조여청사모성설)
> 인생에서 뜻을 두는 것은 즐거움을 다하는 것(人生得意須盡歡(인생득의수진환)
> 금술동이 헛되이 달빛 아래 두지 말지어다. (莫使金樽空對月막사금준공대월)

하늘이 내게 준 재주는 쓸모가 있을 것이고(天生我材必有用천생아재필유용)
돈이야 흩어졌다 다시 돌아오기도 하는 것이니(千金散盡還復來천금산진환복래)
염소 삶고 소 잡아 맘껏 즐겨 보세나! (烹羊宰牛且爲樂팽양재우차위락)
한번 마시기로 작정하면 삼백 잔은 마실 일(會須一飮三百杯회수일음삼백배)
잠부자여,(岑夫子잠부자!)
단구선생이여(丹丘生단구생!)
술 권하거니 잔 멈추지 말게나.(將進酒君莫停장진주군막정)
그대와 더불어 노래 한 곡 부를 테니(與君歌一曲여군가일곡)
그대들은 나를 위해 귀 기울여 들어나 보게(請君爲我側耳聽청군위아측이청)
고상한 음악 맛있는 음식 귀할 것도 없으니(鐘鼓饌玉不足貴종고찬옥부족귀)
다만 원컨데 이대로 취하여 부디 깨지 않는 것(但願長醉不願醒단원장취불원성)
예로부터 성현들도 지금 모두 사라져 없지만(古來聖賢皆寂寞(고래성현개적막)
오로지 술 잘 마시던 이들의 이름만 남았다네.(惟有飮者留其名유유음자유기명)
그 옛날 진시왕이 평락관 연회때(晉王昔時宴平樂진왕석시연평락)
한 말에 만냥이나 하는 술도 마음껏 즐겼다네.(斗酒十千恣歡

諸두주십천자환학)

주인은 어찌 돈이 모자라다 하는가(主人何爲言少錢주인하위언소전)

어서 가서 술 사오게 그대와 같이 대작하리니(徑須沽取對君酌경수고취대군작)

멋진 말과 비싼 가죽옷 따위(五花馬千金오화마천금구)

아이 불러 어서 술과 바꾸게 하여(呼兒將出換美酒호아장출환미주)

그대와 함께 만고의 시름 잊어보리라.(與爾同銷萬古愁여이동소만고수)

이백은 호상의 아들로 태어나 경제적으로 여유가 있었다. 어릴 적에는 무술도 배우고 여행을 즐겨했다가 15세가 되어서 시를 짓기 시작했고, 42세가 되어서야 장안에 나가 한림공봉(翰林供奉)이라는 직책을 받았다. 시를 잘 지어 현종과 양귀비의 사랑을 받았으나 환관 고력사에게 "내 신발을 벗겨봐라, 이 고자놈아"라고 술주정을 한 연유로 고력사의 미움을 사 3년만에 장안에서 쫓겨나게 된다. 안록산의 난 때 황제의 아들인 영왕의 막료에 들어갔으나 영왕이 역적으로 몰리는 사건으로 인하여 유배를 당하여 죽을 위험에 처하기도 하였다. '하늘이 내게 준 재주는 반드시 쓸모가 있을 것'이라고 하며 벼슬에 미련을 가지고는 있었지만, 이후의 그는 술과 자연을 더불어 시를 짓는 날들을 보내다가 62세에 사망한다.

두 번째는 그가 술을 좋아한 주선(酒仙)이기 때문이다.

주선은 조지훈(1920-1968)의 수필집 '주도유단' 18단계 중(9급~9단)에서 5단에 해당되는 급수다. 그 이상인 6단에서 9단까지는 술을 아끼고 인정을 아끼는 사람(酒賢), 마셔도 그만 안 마셔도 그만, 술에 대하여 유유자적하는 사람(酒聖), 술을 보고 즐거워하되 마실 수 없는 사람(酒宗), 술로 말미암아 다른 세상으로 떠나게 된 사람(廢酒 : 涅槃酒)들이니 술을 마시는 사람 중에서는 최고의 급수다.

이백은 사흘에 이틀은 술을 마셨으며 홀로 밤낮을 이어 마시는 날들이 허다했다고 한다. 그의 시 〈산중대작(山中對酌)〉에서 이틀을 연속 마시는 모습을 그려보자.

> 두사람이 마주하고 술을 마시니 산 꽃은 피고(兩人對酌山花開양인대작산화개)
> 한잔 한잔 또 한잔(一杯一杯復一杯일배일배부일배)
> 나는 취해 자고싶으니 자네는 돌아가시게(我醉欲眠君且去아취욕면군차거)
> 내일도 생각있으면 거문고를 안고 오시게(明朝有意抱琴來명조유의포금래)

이백을 뽑은 세 번째 이유는 그가 중국 최고의 시인이기 때문이다.

그의 시는 1100여수가 전해지고 있으며, 두보(杜甫712-770)와 함께 현재까지도 중국 최고의 시인으로 꼽히고 있다.

이태백과 두보는 시의 내용이나 시를 짓는 과정에서 곧잘 비교되곤 하는데, 두보는 다듬고 다듬어서 시 한 수를 짓고 이태백은 그냥 나오는 대로 해도 시가 되었으며, 시의 내용도 두보는 나라 걱정 등 주로 시대에 맞는 시가 대부분인데 반하여 이태백은 자연과 신선 등을 주제로 한 시가 많다는 것이 특징이다.

사람들은 이 두사람을 이두(二杜)라고 부르기도 하고, 두보를 시성, 이태백을 시선으로 부르기도 한다.

두 사람은 만나 여행도 하면서 지내기도 했는데, 두보는 그의 시 〈음중팔선가(飮中八仙歌)〉에서 이태백을 논하기를,

> 이백은 한 말 술에 시 백 편을 짓는데(李白一斗詩百篇이백일두시백편)
> 취하면 장안 시장바닥 술집에서 잠을 잔다네.(長安市上酒家眠장안시상주가면)
> 천자가 불러도 배에 오르지 않고(天子呼來不上船천자호래불상선)
> 스스로 술 취한 신선이라 부르네.(自稱臣是酒中仙자칭신시주중선)

라 하였다.

마지막으로 그의 시에는 술의 예술사상이 담겨있기 때문이다.

특히 그의 시〈독작(獨酌)〉에서는 분명하게 그의 사상을 표현하고 있다.

독작(獨酌)

하늘이 술을 좋아하지 않았다면(天若不愛酒천약불애주)
주성이 하늘에 없을 것이고(酒星不在天주성불재천)
땅이 술을 좋아하지 않았다면(地若不愛酒지약불애주)
땅에는 당연히 주천이 없을 것이다.(地應無酒泉지응무주천)
천지가 이미 술을 좋아 했어니(天地旣愛酒천지기애주)
술 좋아하는 것이 부끄러운 일이 아니네(愛酒不愧天애주불괴천)
듣기로 청주는 성인과 비교되고(已聞淸比聖이문청비성)
탁주는 현인과 같다 하니(復道濁如賢부도탁여현)
어찌하여 신선을 찾으려 하는가.(何必求神仙하필구신선)
석 잔에 대도를 통하고(三杯通大道삼배통대도)
한 말이면 자연과 하나가 된다.(一斗合自然일두합자연)
단지 술 마시고 흥을 얻을려고 하는 것이니(但得酒中趣단득주중취)
깨어있는 사람에게 전하려고 하지 마시게.(勿爲醒者傳물위성자전)

첫 줄부터 여섯 번째 줄까지는 천지인 사상, 만물이 모두 같다는 만물제동사상이다. 하늘이 술을 좋아하고 땅이 술을 좋아하는데 내가 술을 좋아하는 것이 어찌 부끄러운 일이겠느냐 하고 술을 마시는 핑계를 갖다 댄다. 하늘이 술을 좋아해서 만든 주성은 중국의 옛이야기인 周禮(BC3000년전)와 晉書(서기648년)에 나오는 것으로, 황제 헌원의 별자리 모서리 남쪽에 별이 셋 있는데 그 별들을 주기성좌(酒旗星座)라 하고 연회와 술을 주관한다고 되어 있다. 땅이 술을 좋아해서 만든 주천이라는 곳은 중국이나 한국의 여러 군데 나오는 지명이다. 전해지는 이야기로는 고구려 주연현(酒淵縣)에는 주천석(酒泉石)이라고 하는 곳의 근처에 우물이 있었는데 거기에서는 술이 끊임없이 솟아올라 사람들이 잔뜩 마시고 취하여 가끔은 못된 짓을 하였다고 한다. 이러한 것을 막기 위하여 마을 아전들이 그 우물을 현청으로 옮기려고 하니 하늘에서 벼락이 떨어져 세 동강이를 내버렸다고 한다. 남의 술잔 함부로 넘보지 말라는 교훈이 아닌가 싶다.

다음 줄에는 술 마시면 성인도 되고 현인도 되어「통대도」와 「합자연」을 통하여 나와 자연이 하나가 되는 것을 말하고 있다. 성인은 하늘을 목표로 하고 현인은 성인을 목표로 한다. 차이는 있지만 「통대도」와 「합자연」하는 데는 문제가 없다.

마지막으로 술을 마시는 것은 「흥」을 취하려고 하는 것이니 깨어있는 사람들에게는 말하지 말라고 한다. 술을 마시지 않는 훌륭한 작가도 많다. 그러한 작가들은 또 다른 방법으로 흥을 취하는 방법이 있을 것이니 내가 나의 흥을 취하면 되지 남들에게까지 강요하지 말라는 것이다.

위에서 말하는 「만물제동사상」과「통대도」와 「합자연」, 그리고 「흥」이 우리가 찾고자 하는 술의 미학사상이다.

3. 이백의 시에서 본 술의 미학사상

1) 자연성

우리가 물안개가 피는 호숫가를 보던지, 해질녁 산골 마을의 풍경을 보면 한 폭의 동양화라고 하고, 그러한 풍경을 그린 그림을 보면 자연스럽다고 말한다. 동양화에서는 이러한 자연스러움을 중요하게 여긴다.

화가가 자연스러운 그림을 그리기 위해서는 스스로 자연스러워져야 한다. 이 자연스러움에도 두 가지가 있다. 내적인 것과 외적인 것이 그것이다. 먼저 내적인 것은 우리의 마음이 자연과 하나가 되어야 하는데 이러한 상태를 '심재'라고 한다.

장자(BC369?-286)는 「인간세」에서 공자와 그의 제자 안회의 대화를 통해서 심재에 대하여 설명하고 있다. 안회가 공자에게 마음을 재계(心齋)하는 것에 대하여 묻자 공자가 말하기를

> "먼저 뜻을 한데 모아 잡념을 없애고, 귀로써 듣지 말고 마음으로 듣고, 마음으로 듣지 말고 기로써 들어라. 듣는다고 하는 것은 귀에 그칠 뿐이고, 마음으로 듣는다는 것은 자기의 마음에 갖다 부칠 뿐이지만, 기는 텅 비어 무엇이나 다 그대로 들을려고 기다린다. 그러므로 도는 오직 빈데에서 모이며, 이 빈 것이 곧 마음을 재계하는 것이다. (若一志, 無聽之以耳而聽之以心, 無聽之以心而聽之以氣, 聽止於耳, 心止於符, 氣也者, 而待物者也, 唯道集虛, 虛者, 心齋也)

라고 하여, 마음을 비우고 오로지 그 말을 그대로 들으라고 하였다.

마음을 비우고 들으라고 하는 이 말을 사물을 보는 것으로 바꾸어 보면, 사물을 눈으로 보지 말고 마음으로 보며, 마음으로 보지 말고 기로 보라는 말이 된다. 즉 모든 사물을 볼 때 자기 마음속에 이미 잡혀 있는 형으로 판단하지 말고 마음을 비우고 그 사물을 있는 그대로 보라는 말이 된다. 그런 다음에야 그 사물이 가지고 있는 기를 제대로 볼 수 있고, 그 기를 제대로 볼 수 있어야 그 대상의 정신을 알 수 있기 때문이다. 즉 작가는 자기가 마음속에 가지고 있는 것으로서 그리고자 하는 대상을 유추하여 해석하지 말고 마음을 비우고 대상의 모습을 그대로 자기 마음속에 가져온 다음에 작품을 해야 한다는 말이다.

대도와 통한다는 말은 장자가 말하는 좌망의 경지에 도달할 수 있다는 것이다. 장자는 「대종사」에서 '좌망'이란'신체에서 벗어나고, 눈과 귀의 작용에서 벗어나서, 형체를 떠나고 앎을 버려 大道에 통하는 것을 '좌망'이라 한다고 하였다. 또한'도와 일체가 되면 좋고 싫은 구분이 없어지고, 변화하여 항상함이 없게 된다.'라고 하였다.

이 '항상함이 없는 것'을 자연이라고 한다. 우리가 자연이라고 할 때 어느 시점을 자연이라고 하는가. 봄을 자연이라고 하는가, 여름을 자연이라고 하는가. 아니면 가을인가, 겨울인가. 자연이란 그 시기에 맞춰 스스로 변화되어 가는 것이다. 즉 스스로 그러함이다.

이백은 술 석 잔이면 자신을 비우게 되고, 자신을 비워야만 이러한 자연의 변화에 통하게 되고, 한 말을 마시면 이러한 변화와 하나가 되어 나와 자연의 구분이 없어진다는 것이다.

외적인 자연스러움이라고 하는 것은, 물론 내적인 자연스러움이 수반되어야 되는 것이지만, 행동이나 차림이 예와 격식에서 벗어나서 자연스러워야 한다는 것이다. 『장자』「전자방(田子方)7장, 해의반박(解衣般礴)」에서 화가의 가장 자연스러운 모습을 볼 수 있다.

> 송원군이 그림을 그리려고 화가들을 불러 모으니 수많은 화가들이 이르렀다.
> 그들은 명을 받고 읍하고 일어서서는 붓을 씻고 먹을 갈았다.
> 명을 받지 못하고 밖에 서서 기다리는 자가 반절이나 되었다.
> 어떤 한 화가가 뒤늦게 서두르지 않고 천천히 와서는
> 원군에게 읍한 후, 서 있지 않은 채 그대로 방으로 들어가 버렸다.
> 송원군이 사람을 시켜 그를 보게 하니, 그는 옷을 벗어놓고 양다리를 쫙 뻗고 있었다. 송원군이 "옳타쿠나! 이 사람이 진정한 화가다,"라고 말했다.
> **(宋元君將畫圖, 衆史皆至,受揖而立.舐筆和墨, 在外者半.有一史後至者, 儃儃然不趨,受揖不立, 因之舍.公使人視之, 則解衣般礴臝.君曰: "可矣, 是眞畫者也.")**

해의반박은 옷깃을 풀고 두 다리를 쭉 뻗은 모습으로 화가가 작품을 하기 위해서 스스로를 자연에 맡기는 자세이다. 이렇게 자신을 얽매고 있는 주변의 상황에서 벗어날 수 있어야 작가가 감응을 얻을 수 있고 감응을 받아야 흥이 나서 작품을 할 수 있는 것이다.

2) 어울림

좋은 작품이라는 것은 여러 가지가 어울려 조화를 이루는 작품이다.

공자는 '군자는 서로 다르지만 조화를 이룬다(君子和而不同).'라고 하였고, 2,500년 전 좌구명(左丘明)이 쓴 〈좌전(左傳)〉에 보면 '맹물에 맹물로 맛을 더하면 누가 이를 먹으려 할 것이오(若以水濟水, 誰能食之), 거문고나 비파로 하나의 음조로만 연주하면 누가 이를 들으려 하겠는가?(若琴瑟之專壹, 誰能聽之)?'라는 말이 있다. 물론 이것은 당시 제(齊)나라 상대부(上大夫) 안자(晏子)가 '화합'에 관해서 했던 말이기는 하지만 예술 작품에도 그대로 적용되는 말이다. 여러 가지의 다른 것이 어울려야 하나의 아름다운 작품을 만들어 낼 수 있기 때문이다.

최근에 유재석과 조세호가 MC인 '유 퀴즈 온더 블록'을 보다가 깜짝 놀란 말을 들었다. 게스트로 쇼팽 콩쿠르에서 한국인으로서의 첫 우승자인 조성진 피아니스트가 나왔는데 유재석이 '그렇게 빠르게 건반을 치는데 건반을 틀리게 칠 경우는 없느냐?'하고 물으니 조성진의 대답이 걸작이다. '모든 것을 아름답게만 치면 연주가 다 끝났을 때 어떤 부분이 아름다웠는지 기억이 나지 않을 것이다. 건반의 미스 터치가 있을 수 있지만, 어느 곳에 클라이막스를 두어야 하는지 큰 그림만 그려서 연주하려고 한다.' 좋은 것과 잘 못 된 것이 어울려야 좋은 연주라는 것이니 2500년 전이나 지금이나 최고의 예술에 대한 생각은 다르지 않다는 것이 놀라울 뿐이다.

사람과 사람이 어울릴 때에는 지연, 학연, 혈연이 동원되고, 하다 못해 취미가 같다든지 좋아하는 음식이 같다든지 등 뭔가 연결고리가 있어야 하는데, 전혀 연결고리가 없는 사람은 물론 자연과의 사이에 좋고 나쁨, 아름다운 것과 추한 것, 옳고 그름의 구분을 하지 않고 어울릴 수 있는 이유는 만물이 그 근본을 따져 보면 모두가 같기 때문이다.

목은의 詩를 보자.

> 기에는 청명하고 혼탁함이 있거니와 (氣有淸明與濁昏기유청명여탁혼)
> 하늘은 만물을 포함한 하나의 명원일세 (天包萬物一名園천포만물일명원)
> 봄가을이 왕래하면서 영췌를 다투나니 (春來秋去爭榮悴춘래추거쟁영췌)
> 정영은 본원으로 돌아감을 믿어야 하리 (須信精英返本元수신정영반본원)

즉, 만물은 기에서 생겨나고, 기의 차이에 의하여 만물은 여러 가지의 형체가 되며, 이러한 여러 가지의 형체가 모여 아름다운 정원을 이룬다고 한다. 그리고 이렇게 아름다운 정원을 만들었던 모든 것들은 다시 그 근본인 기로 돌아가기 때문에 본원으로 돌아가서 보면 그 성은 모두 같다는 것이다.

즉 만물은 모두 같다는 '만물제동'사상이다. '만물제동'사상에서는 만물의 대소, 미추의 분별이 없다. 모두 같은 '성'을 타고났기 때문이다.

모두가 같으므로 서로 어울릴 수 있는 것이다.

그러면 '기'라고 하는 것이 무엇인가. 목은의 설명을 들어보자.

대저 도(道)가 태허(太虛)의 상태에 있을 때에는 본래 무형(無形)이지만, 이 세상에 다양한 사물의 현상이 존재하게 되는 것은 오직 그 태허의 기(氣)가 그렇게 작용하기 때문이다. 그렇기 때문에 크게는 천지(天地)가 되고, 밝게는 일월(日月)이 되며, 흩어져서는 풍우(風雨)와 상로(霜露)가 되고, 치솟아서는 산악(山嶽)이 되며, 흘러서는 강하(江河)가 되는 것이다. 그런가 하면 질서 정연하게 군신(君臣)과 부자(父子)의 윤기(倫紀)가 있겠끔하고, 찬란하게 예악(禮樂)과 형정(刑政)의 도구가 있겠끔하며, 세도(世道)와 관련해서는 청명(淸明)해져서 치세(治世)를 이루게 하기도 하고, 혼탁(混濁)해져서 난세(亂世)를 이루게 하기도 하는데, 이 모두가 기(氣)의 작용으로 나타나는 현상이다.

목은은 자연뿐만 아니라, 부자간, 군신간의 윤기(倫紀)도 기에서 나온다고 하여 만물이 기 아님이 없다고 하였다. 또 그는 '천지(天地)의 본(本)은 기(氣)이다. 산천초목의 본도 기이다. 어찌 그 가운데서 경중을 가를 수 있겠는가!(『牧隱文藁』, 卷三, 「菊澗記」: 天地, 本一氣也. 山河草木 本一氣也. 豈可輕重於其間哉.')라고 말한다. 천지만물이 모두 하나라는 말이다. 중국 북송대의 장재(張載1020-1077)는 '혼백은 모두 氣에 그 근원을 두고 있는데, 원기가 모이면 유형의 사물이 되고, 원기가 흩어지면 무형의 것이 된다. 결국은 허공 역시 기이다.'라고 말하고 있다. 장자의 이야기를 보면 더 쉽게 이해할 수 있을 것이다.

> 장자의 아내가 죽어서 혜자(惠子)가 조문을 갔더니 장자가 두 다리를 펴고 앉아서 물동이를 치며 노래를 부르고 있었다. 혜자가 '마누라가 죽었는데 곡을 하지 않는 것은 그럴 수 있다 하더라도 노래까지 하는 것은 너무 하지 않는가?' 하였더니 장자가 말하기를, '나도 처음에는 슬펐네. 그러다가 그의 태어나기 전의 근원을 살펴보니 아무 생명도 없었네. 생명도 없었고 형체도 없었고 기도 없었네. 흐릿하고 아득한 사이에 섞여 있다가 그것이 변하여 기가 있게 되고, 기가 변하여 형체가 되고, 형체가 변하여 생명을 갖게 되었네. 그것이 또 변하여 죽음으로 간 것이네. 이는 춘하추동이 번갈아 운행하는 것과 같은 것이니 아내는 지금 천지라는 거대한 곳에서 자고 있을 뿐이니 내가 곡을 하고 슬퍼한다면 이는 하늘의 명을 모르는 행동이라 내가 곡을 그쳤다네.'

장자는 사람이 생명을 얻어 태어나는 것이 기가 모여서 형체가 된 것이고, 또 그 기가 변하여 죽음이 된 것이니 기뻐하고 슬퍼할 일이 아니라는 것이다.

위에서 여러 가지를 얘기하였지만, 철학적으로 어울림을 이해하는 것은 어렵다. 미추, 대소의 구분이 없어져서 모든 것이 같다는 것을 알아야 이 모든 것을 아울러서 하나의 아름다운 정원을 만들 수 있는 것인데, 그렇게 되기 위해서는 '좌망'의 경지에 들어가야 도와 일체가 되어서 좋고 싫은 구분이 없어지게 되는 것이다. 그러나 이는 성인군자만

이 할 수 있는 어려운 일이다.

그러나 술은 이를 간단하게 해결한다. 이백은 시에서 천지인이 다 같다는 것을 말하고, 이의 경지에 오르기 위해서는 성인과 현인의 경지에 올라야 하는데 '청주는 성인과 비교되고 탁주는 현인과 같다 하니 어찌하여 신선을 찾으려 하는가.(已聞淸比聖이문청비성, 復道濁如賢부도탁여현, 何必求神仙하필구신선)'라고 하여 청주던 탁주던 술 석잔이면 대도와 통하는데 구태여 신선이 되고자 할 필요가 없다고 말한다.

이백과 술 이야기를 하면 우리는 그의 시 〈월하독작〉을 뽑는다. 〈월하독작〉은 달빛 아래서 혼술한다는 애기인데 시 내용을 보면 혼자 마시는 술이 아니다. '잔 들어 달을 부르고, 그림자까지 합하니 셋이 되었다.'고 노래하지 않는가. 아마도 술을 충분히 마셔서 성인의 경지에 올라 '하늘의 달과 땅의 그림자가 다 나와 같다'는 것을 알고 어울려 노는 것이 아닌가 싶다.

3) 흥

술을 마시면 노래가 절로 나오고 춤이 절로 나온다. 무대도 필요 없고 장단 맞출 악기가 없어도 된다. 저절로 흥얼거리게 되며 어깨를 들썩이게 된다.

고려시대 백운 이규보(白雲 李奎報)는 그의 시 〈주악(酒樂)〉에서 다음과 같이 노래한다.

손뼉 치고, 어깨 흔들며, 넓적다리 두들기니(手拍肩搖髀多수박견요부비다)
뛰면 춤이 되고 소리치면 노래 되네(跳成舞節叫成歌도성무절규성가)
이 몸에는 하늘에서 준 음악이 있으니(此身自有天生樂차신자유천생악)
굳이 남에게 생황이나 퉁소 청할 것 없네(不用笙簫更불용생소경천타)

이렇게 흥은 우리들의 마음속에 항상 내재 되어 있는 것이다.

흥은 아무 곳에서나 일어날 수 있다. 봄이 되면 피는 길가의 작은 꽃을 보고 일어나는 생명의 신비함과 가을의 단풍에서 보는 노년의 아름다움 등 계절의 변화에 따라서 나오는 흥, 음악이나 춤에 따른 흥, 좋은 경치를 봤을 때의 흥, 그밖에 뱃놀이나 낚시, 사냥 등에 따른 흥, 등 이 중요한 비중을 차지하는데 이들의 공통점은 모두 '놀이의 현장'에서 이루어지는 것이라는 점이다. 만약 어부가 생계를 위하여 고기를 잡는다면 흥이 일어나기보다는 힘이 들 것이다. 생계 수단이라는 목적성이 없을 때, 고기 잡는 일이 즐겁고 흥겨운 놀이가 되어 세상만사 온갖 근심을 잊고 즐길 수가 있는 것이다.

그러나 예술작품이 이러한 즐거움에서만 나오는 것이 아니다. 지극한 슬픔과 배고픔, 어쩔 수 없는 사회환경에 대한 울분 등, 우리의 마음속에서 일어날 수 있는 모든 것을 흥의 범주에 있다고 볼 수 있는 것이다.

문제는 이렇게 우리의 마음속 깊은 곳에 잠겨있는 흥을 어떻게 끄집어 낼 것인가 하는 것이다.

북송대의 구양수(1007-1072)는 '먼저 창작주의 내심에 울분과 격정이 쌓여 이러한 정감이 다시 사유기관의 자극을 통해 발흥되고 체험된 정감은 자연물상에 기탁되어 구체적인 예술 형상으로 나타난다.'라고 하여, 흥이 지극한 상태에 이르러 감격 발분하여야만 사유기관의 자극을 통해 발흥이 된다고 하고, 그러한 연후에 발흥된 정감은 자연물상에 기탁되어 구체적인 예술형상으로 나타난다고 하며 '감격발분설'을 주장하고 있다. 아마도 많은 예술가들은 이러한 마음가짐으로 작품창작에 힘쓰고 있을 것이다.

구양수의 '감격발분설'은 어렵다. 먼저 흥이 지극한 상태에 이르러야 하고 그것이 사유기관을 자극하여 발흥이 되는 절차가 복잡하다. 그러나 이백은 '술 마시는 것은 단지 흥을 얻으려고 하는 것'이라고 하여, 술만 마시면 저절로 내면에 감춰진 흥이 밖으로 도출된다는 것이다. 얼마나 간단하고 명쾌한가. 이 또한 술을 좋아하는 많은 작가들이 따르는 방법이다.

어떤 방법으로 흥을 도출해 내든 간에 중요한 것은, 흥은 앞장에서 말한 '자연성'과 '어울림'이 먼저 이루어져야 가능한 일이다. '자연성'과 '어울림'이 작가가 되기 위한 정신적 조건이라면 '흥'은 그러한 조건을 갖춘 작가가 가슴 깊은 곳에서 일어나는 느낌을 작품으로 표출해 보고자 하는 욕구이다. 술은 작가가 이 흥을 밖으로 끌어내서 작품으로 연결시키게 하는 촉매제인 것이다.

어린아이 같은 자연스런 마음으로 선과 악, 아름다운 것과 추한 것, 좋은 것과 싫은 것의 분별에서 벗어나서, 마음에서 일어나는 감응을 맘껏 작품으로 표현하고 싶은 마음에서 많은 예술가들은 오늘도 술을 찾는다.

서산대사가 말하는 바와 같이'만약 술과 시가 없다면 이 좋은 경치의 흥은 줄어들 것(若無詩與酒 應殺好風情)'이기 때문이다.

| 참고문헌 |

『대학』

『논어』

『맹자』

『목은문고』

『목은시고』

김하명(2005), 『강호에 병이 깊어 죽림에 누웠더니』, ㈜도서출판 보리

김혜영(2020), 『장자강의』, 안티쿠스

오주석(1999), 『옛그림 읽기의 즐거움』, 솔출판사

유영봉(2003), 『너도 내가 그립더냐』, 늘푸른소나무

유위림(1999), 『중국문예심리학사』, 심규호 역, 동문선

유홍준(2001), 『화인열전 1』, 역사비평사

유홍준(2001), 『화인열전 2』, 역사비평사

홍선표(1999), 『조선시대회화사론』, ㈜문예출판사

황 견(2001), 『고문진보』, 이장우, 우재호, 장세후 역, ㈜을유문화사

I

고전(古典)에서 읽는 술 이야기

신명종

신명종

한국외국어 대학교에서 화란어를 전공하고, 금융회사에 입사하여 근무하였다. 정년퇴직 이후에 다시 성균관대학교에 입학하여 석사와 박사과정에서 동양철학을 전공하고, 「『주역』점서법과 현대적 함의에 관한 연구」로 박사학위를 받았으며, 현재 성균관대 한국철학문화연구소 선임연구원으로 재직하고 있다. 논문으로는 「朱子와 茶山의 筮法에 대한 比較 연구」, 「彖傳의 卦變 해석에 관한 연구」, 「周易 天地人 三才와 作卦 원리에 관한 고찰」 등이 있으며, 번역서로는 『胎敎新記(태교신기)(공저)가 있다.

1. 술의 신(神), 의적(儀狄)과 두강(杜康)

술의 기원에 관해서 생각해보면 많은 사람들은 아마도 서양의 주신酒神인 디오니소스Dionysos 또는 박쿠스Bacchus를 떠올리게 될 것이다. 이 두 신의 역할은 거의 동일한데 그리스신화에서는 디오니소스라고 불리고, 로마신화에서는 박쿠스라고 한다. 디오니소스는 테베의 공주인 세멜레Semele와 제우스 사이에 태어난 아들로 '두 번 태어난 자'란 뜻을 가지고 있다. 제우스의 아내인 헤라가 질투에 눈이 멀어서, 어느 날 세멜레의 유모로 변장하여 세멜레에게 제우스가 가짜일지도 모르니 진짜 본모습을 한 번 보여 달라고 제우스에게 부탁해 보라고 부추겼고, 세멜레는 제우스의 진짜 모습에서 나오는 광채에 죽고 만다. 제우스는 죽은 세멜레의 몸에서 태아를 꺼내 자기의 허벅지 안에 넣고 길러서 디오니소스가 죽지 않고 탄생하게 하였다. 이 두 번 태어나는 과정에서 디오니소스는 경계를 넘나드는 신으로서 삶과 죽음, 남성과 여성, 인간과 짐승, 젊은이와 노인, 이성과 광기, 현실과 허구 등등을 상징하게 되었고, 술은 바로 이 두 경계를 오갈 수 있게 해주는 매개체의 역할을 하고 있기 때문에 아마도 디오니소스가 주신酒神이 되었을 것이다. 박쿠스는 어느 제약회사의 피로회복제 음료로써 잘 알려져 있는데, 적당하게 술을 마시면 몸이 이완되고 마음이 편안해져서 피로함을 잊게 해주기 때문에 그 이름을 사용했는지 모르겠다. 그러나 공통적으로 이 두 신들의 모습은 술잔을 들고 있으며 포도나무 덩굴과 열매와 함께 표현되는 경우가 많아서 그 술이 포도주와 연관 되어 있음을 알 수 있다.

이에 반해서 동양의 주신酒神은 디오니소스나 박쿠스만큼 잘 알려져 있지 않는데, 우연의 일치이겠지만 중국에도 술의 시조로 알려진 사람이 둘이 있다. 바로 의적儀狄과 두강杜康이다. 의적에 관한 내용은 『전국책戰國策』과 『여씨춘추呂氏春秋』 그리고 『회남자淮南子』와 『설문해자說文解字』 등에 기재되어 있는데, 『전국책戰國策』에 기록된 내용이 자세하고 재미가 있다.

> 양梁나라 王(梁惠王양혜왕을 가리킨다. 梁나라는 원래 위魏나라였는데 뒤에 梁으로 국명을 바꿨다.)이 범대范臺(누각의 이름)에서 제후들에게 술자리를 베풀었다. 술이 거나해지자 노魯나라 임금에게 술잔을 들라고 청했는데, 노나라 임금이

일어나 공손하게 자리에서 약간 물러서서 좋은 내용을 골라 다음과 같이 말하였다. "옛날 제帝의 딸이 의적儀狄에게 명하여 술을 빚게 하였는데 맛이 좋아서 우禹(중국 최초의 세습왕조 국가인 夏나라의 시조)에게 바쳤더니, 우임금이 이를 마셔 보고 맛있다고 여기면서도 마침내 의적儀狄을 멀리하며 그 맛있는 술을 끊어 버리고 말하기를 '후세에 반드시 이 술로써 그 나라를 망치는 자가 있을 것이다.'라고 하였습니다.

또 제환공齊桓公이 밤에 출출함을 느끼자 역아易牙가 요리를 하여 굽고 지지고 오미五味를 맞추어 환공에게 드렸더니 잘 먹고는 잠이 들어 이튿날 아침까지 깨어나지 못하고 말하기를 '후세에 반드시 이런 맛 때문에 나라를 망치는 자가 있을 것이다.'라고 하였습니다. 또 진문공晉文公도 남지위南之威라는 절세 미녀를 얻고서 3일 동안 조회를 하지 않다가 문득 남지위南之威를 물리쳐 멀리하면서 '뒤에 반드시 여색 때문에 나라를 망치는 자가 있을 것이다.'라고 하였습니다. 초장왕楚莊王이 강대强臺(누각의 이름)에 올라 붕양崩樣(지명)을 바라보니 왼쪽으로는 강이 있고 오른쪽에는 호수가 있어서 거닐다가 그 즐거움이 죽음을 잊을 정도였습니다. 마침내 강대에 오르지 않기를 맹세하고서 말하기를 '후세에 반드시 높은 누대와 연못으로 자기 나라를 망하게 할 자가 있을 것이다.'라고 하였습니다. 지금 임금님의 술통에는 의적儀狄이 빚은 것과 같은 맛있는 술이 담겨 있고, 임금님의 진미는 역아易牙가 조리한 듯하며, 왼쪽에는 백태白台(미인의 이름)가 있고 오른쪽에는 여수閭須(미인의 이름)가 있으니 남지위南之威와 같은 美色이며, 앞에는 협림夾林(누각의 이름)이 있고 뒤에도 란대蘭臺(누각의 이름)가 있으니 강대强臺와 같은 즐거움 입니다. 이것 중에 하나만 있어도 나라를 망치기에 충분한데, 지금 당신은 이 네 가지를 아울러 소유하셨으니 경계하지 않을 수 있겠습니까?" 양梁나라 왕이 좋다고 연달아 칭찬하였다.(출처:『戰國策』「魏策」)

이처럼 의적은 여러 서적에서 언급될 만큼 맛있는 술을 빚은 사람으로 잘 알려져 있고, 이 의적에 짝할 만큼 유명한 사람이 바로 두강杜康이다. 두강은 지금도 그 이름이 두강주라는 이름으로 여러 종류의 중국 백주白酒의 이름으로 사용되고 있기도 하다. 『설문해자說文解字』의 건부巾部에 "옛날 소강少康이 처음으로 키와 빗자루와 출주秫酒(차조로 만든 술로 지금의 黃酒와 같다.)를 만들었는데 그 소강少康이 바로 두강杜康이다."라고 하였고, 또 『설문해자說文解字』의 유부酉部에도"두강이 황주黃酒를 만들었다."라고 기재된 내용이 있다. 이런 까닭에 지금까지 두강을 높여서 주신酒神으로 삼고, 제주업계製酒業界에서는 두강을 술의 조사祖師로 섬기고 있다.

이 두강이란 이름은 역사적으로 보면 한漢나라 이전에는 찾을 수 없고, 단지 소강少康이란 이름으로 『사기史記』「하본기夏本紀」에 기재되어 있는 것을 볼 수 있는데, 『사기』의 기록에 따르면 "중강中康이 붕어하자 아들인 제帝 상相을 세웠고, 제帝 상相이 붕어하자 아들인 제帝 소강少康을 세웠다."라고 되어있기 때문에, 이 소강少康은 술의 시조라고 하는 두강과 동일한 사람이라고 간주하기 어렵다. 속설에 의하면 황제黃帝의 시대에 두강이라고 불리는 어떤 사람이 양식을 전담해서 관리하였는데, 농경 기술의 발달로 인해서 매년 양곡이 풍작을 이루었고, 그 양곡이 많아서 다 먹을 수가 없어 산속 동굴 안에 저장하였는데, 동굴 안이 어둡고 습기가 많아서 시간이 오래 경과하자 곡식이 모두 부패하였다. 두강은 이러한 현상을 보고서 저장하는 방법에 대해 매우 골똘하게 생각하였다. 어느 날 두강이 숲속에서 산책하고 있는데 죽은 나무 몇 그루가 속이 빈 채로 쓰러져 있는 것을 보고, 번뜩 생각이 떠올라서 양곡을 전부 나무 통 안에 부었다. 얼마의 시간이 지나서 두강은 곡식을 확인하기 위해 숲에 왔다가 깜짝 놀랐는데, 곡식이 저장되어 있는 죽은 나무 앞에 몇 마리의 멧돼지와 염소 그리고 토끼가 죽은 것처럼 움직이지 않고 누워있는 것을 보았다. 두강이 급히 무슨 일이 일어나고 있는지 알아보기 위해 가까이 가보니 곡식을 담아둔 나무통의 조그만 틈 안에서 물 같은 것이 흘러나오고 있었다. 이 진한 향이 나는 물을 가지고 돌아가서 여러 사람들에게 맛보였더니 모두 맛있다고 하였다. 이렇게 해서 만들어지기 시작한 술이 민간에 점차 보급되었고, 두강은 자연스레 여러 사람들에게 주신酒神으로 존칭되었다고 한다.

2. 야누스의 얼굴을 가진 술

의적과 두강에 의해서 만들어졌다고 알려진 술은 중국 고대의 왕조인 주周나라에서 아주 중요하게 취급되었다. 『주례周禮』(周나라의 정치 제도를 육관六官으로 구성하여 기술한 책으로, 주공周公에 의해서 지어졌다고 알려져 있으며 의례儀禮와 예기禮記를 묶어서 삼례三禮라고 한다.)라는 책을 통해서 보면 주周나라의 정부 조직은 육관六官(天官冢宰천관총재, 地官司徒지관사도, 春官宗伯춘관종백, 夏官司馬하관사마, 秋官司寇추관사구, 冬官司空동관사공으로 六卿육경이라고 한다.)으로 구성되어 있고, 육관六官 중에 우두머리인 천관天官의 총재冢宰(육경六卿의 우두머리) 산하에 주정酒正(주관酒官의 우두머리로 술에 관한 정령政令을 담당하고 술의 생산과 공급을 책임진다.)이라는 관직이 있어서, 술을 나라에서 직접 전적으로 관장하였다. 주정이 관리하는 술은 사주事酒, 석주昔酒, 청주淸酒로 세 가지로 나뉘는데, 사주事酒는 일이 있을 때 마시는 술이고, 석주昔酒는 일이 없을 때 마시는 술이며, 청주淸酒는 제사祭祀에 사용되는 술을 가리킨다. 여기에서 말하는 일이라는 것은 왕실에서 제후들과 연회를 하거나 나이 많은 노인들을 대접하는 행사와 같은 일들을 말하고, 제사는 계절마다 하늘과 산천에 지내는 제사를 의미한다.

술은 이렇게 신과 돌아가신 조상에 대한 제사에 꼭 필요할 뿐만 아니라 친구들과 사회 구성원들을 잘 화합하고 소통하게 하여 살아 있는 사람들에게 쾌락과 기쁨을 주어 행복을 선사하는 긍정적인 역할을 하지만, 다른 한편으로는 나라를 망하게 하거나 가정과 개인을 불행하게 하는 부정적인 역할을 하는 극단적인 양면을 가지고 있다. 전한前漢 시대에 쓰인 『식화지食貨志』에는 "술은 모든 약의 으뜸이다."라는 구절이 있다. 이 구절을 빌지 않더라도 적절하게 절제하여 마실 수 있다면 건강에 도움이 될 수 있다는 사실을 아마 모르는 사람은 없을 것이다. 그러나 술이란 것은 기본적으로 인간의 이성적 사유를 가능케 하는 대뇌를 마비시켜 억눌린 감정을 드러내게 하는 것이 주 기능이다 보니 적정한 선에서 술자리를 마치는 경우가 드물게 된다. 이 야누스의 얼굴을 가진 술에 대해서 우禹 임금이 맛있는 술로 인하여 후세에 나라를 망치게 하는 일이 있을 것이라고 경고한 것은 술의 폐해를 가장 크게 말한 것이고, 작게 보면 개인의 삶과 가정이 파탄 나는 일일 것이다. 지금 작은 쪽으로 일어나는 폐단은 너무나 자주 흔하게 일어나는 일이라 그 사례를 거론할 필요조차 없고, 나라를 망친 대표적인 사례를 든다면 아마도 주지육림酒池肉林의 고사가 여기에 해당할 것이다. 사람들이 잘 아는 주지육림이란 말 그대로 술로 연못을 이루고 고기로 숲을 이룬다는 뜻으로 아주 사치를 극하게 하는 술자리를 이르는 말이다. 이 사자성어四字成語는 역사적인 사실에 전거典據를 두고 있다. 사마천이 쓴 『사기史記』의 「은殷 본기本紀」에 다음과 같이 기록 되어 있다.

> 임금인 주紂(은나라의 마지막 임금으로 왕호는 제신帝辛이다. 성은 자子이고 이름은 수受이다.)는 자질이 대단히 민첩하고 뛰어나며 견문도 많았다. 힘도 다른 사람보다 세어서 맨손으로 맹수와 싸울 정도였고, 지식은 간언을 물리치고 말재주는 잘못을 감추고도 남을 정도였다. 신하들에게 재능을 과시하길 좋아했고, 천하에서 자신의 명성이 누구보다 높다고 생각하여 모두를 자기 아래라고 여겼다. 술과 음악에 빠져 처첩들을 좋아했다. 달기妲己를 총

> 애하여 달기의 말이면 무엇이든 옳다고 들어주었다. 이 때 사연師涓(악사樂師의 이름)으로 하여금 음란한 곡을 작곡하게 하고, 북쪽의 저속한 춤과 문란한 음악에 빠졌다. 세금을 많이 거두어 그 돈으로 녹대鹿臺(주왕紂王이 주옥珠玉과 같은 귀중품을 보관한 궁원宮苑 건물로 지금의 하남성河南省 탕음현湯陰縣 조가진朝歌鎮 남쪽에 있었을 것으로 추정된다.)를 채우고, 거교鉅橋(식량을 저장했던 창고 이름)를 곡식으로 채웠다. 여기에 더해서 개와 말 그리고 희귀한 물건으로 궁실을 가득 채웠다. 사구沙丘(지명으로 지금의 하북성河北省 형태시邢台市 광종廣宗)의 원대苑臺를 확장하여 온갖 짐승과 새를 잡아다 풀어놓고, 귀신도 업신여겼다. 사구沙丘에다 악공과 광대를 잔뜩 불러 모으고, 술로 연못을 채우고 고기를 매달아 숲을 이루어 놓고서, 벌거벗은 남녀로 하여금 그 사이를 서로 쫓아다니게 하면서 밤새 술을 마셨다.

여기에서 등장하는 달기妲己는 비록 폐월수화閉月羞花와 침어낙안浸魚落雁의 주인공들처럼 중국 4대 미인에 속하지 않지만, 하夏나라를 망하게 한 말희妺喜와, 서주西周를 위험에 빠트려 낙양洛陽으로 천도하게 한 포사褒姒와 더불어 나라를 망하게 한 미녀로 유명하다. 『춘추외전春秋外傳』으로 불리는 『국어國語』(중국 주나라의 왕실과 제후국들의 역사를 기록한 책으로, 작자에 대한 논란이 있어 누가 지었는가에 대한 정론은 없지만 司馬遷사마천은 국어의 작자를 좌구명左丘明이라고 했고, 후에 班彪반표와 班固반고, 劉知幾유지기 등에 의하여 좌구명이 저자로 인정되었다.)에 제신帝辛(세칭 주왕紂王)이 유소씨有蘇氏를 토벌했을 때 유소씨가 헌상한 것이 달기였으며, 달기가 총애를 누리게 되자 이에 교력膠鬲(은殷나라 주왕紂王의 대신大臣으로 맹자孟子가 “하늘이 장차 큰 임무를 어떤 사람에게 내리려 할 적에는 반드시 먼저 그의 마음을 괴롭게 하고 그의 근골筋骨을 수고롭게 하며, 그의 몸을 굶주리게 하고 그의 몸을 궁핍하게 하여, 어떤 일을 행함에 그가 하는 일이 뜻대로 되지 않게 하니, 이는 그렇게 함으로써 마음을 분발시키고 성질을 참게 하여, 그가 할 수 없는 일을 해낼 수 있게 해주려는 것이다.(맹자孟子 고자하告子下 제15장)”라고 하여 예로써 들은 사람들(순舜임금, 교력膠鬲, 부열傅說, 관중管仲, 손숙오孫叔敖, 백리해百里奚) 중의 한 사람에 해당할 정도로 큰일을 한 훌륭한 사람으로 시장에서 물고기와 소금을 팔다가 등용된 사람이다. 國語에서 달기가 교력과 비교된 것은 달기가 한 나쁜 행위가 교력이 나라를 위해 힘쓴 일을 모두 망칠 정도로 영향력이 컸음을 비유적으로 표현한 것이다.)과 견줄 만한 짓을 저질러 은나라를 멸망시켰다고 기록 되어 있다. 『열녀전列女傳』의 「얼폐전孽嬖傳」에는 다음과 같은 내용이 쓰여 있다. “백성이 원망하고 제후들 중에 배반하는 자들이 생겨나자 주紂는 포락炮烙이라는 형벌을 만들어서, 불타는 숯불 위에 기름을 바른 청동으로 만든 기둥을 가로로 걸어 놓고 죄가 있는 사람들을 그 위로 걷게 하고 숯불 위로 떨어지면 달기가 그 것을 보고 웃게 하였으며, 재상인 비간比干이 ‘선왕先王의 모범적인 법을 따르지 않고 아녀자의 말만 따르시니 재앙이 이를 날이 머지않았습니다.’라고 간언하자 주紂는 화를 내었을 뿐만 아니라 그 간언을 요망한 말이라고 여기고, 달기가 주紂에게 ‘내가 듣기에 성인聖

人의 심장에는 일곱 개의 구멍이 있다고 하였습니다.'고 하니, 주紂는 달기의 말에 따라 비간의 심장을 가르고 그것을 관찰하였다." 이렇게 불타는 숯불로 달궈진 청동 기둥을 걷게 하는 형벌이 바로 포락지형炮烙之刑이다. 호기심 차원에서 더 소개하면 明나라 시대에 쓰인 『봉신연의封神演義』에도 달기와 관련되어 채분蠆盆이라는 희한한 형벌이 나온다. 적성루摘星樓 아래에 방원 24장丈 넓이와 5장丈 깊이로 구덩이를 파고서, 도성에 사는 사람들 한 가구당 네 마리의 뱀을 잡아서 바치게 하고, 그 구덩이에 풀어 놓고서 맘에 들지 않은 궁인들을 맨몸으로 그 안에 들어가게 하여, 독사들에게 물려 비명을 지르고 괴로워하는 것을 즐겼다고 하는데, 이와 같은 형벌의 이름이 바로 채분蠆盆이다.

이렇게 주왕은 술과 여인에 빠져 은나라 망하게 하였는데, 이 은나라를 실질적인 무력으로 제압하고 주나라를 세운 사람은 무왕武王으로, 은나라의 서쪽 제후국의 임금인 문왕文王의 아들이다. 이 무왕이 자기 나라를 따르는 여러 제후국의 병사들을 거느리고 은나라의 수도인 조가朝歌(지금의 하남성河南省 학벽시鶴壁市 남쪽 지역)로 진군하기 위하여 황하강변의 나루터인 맹진孟津을 건너기 전에 맹세한 글인 태서泰誓(『서경書經』「주서周書」의 편명)에는 다음과 같은 글이 기록되어 있다.

> 지금 상商 나라 왕 수受(주왕紂王의 이름)가 하늘을 공경하지 않고 백성들에게 재앙을 내리면서 술에 빠지고 여색에 가려 포악한 학정을 편다. 사람들을 죄로 벌하되 친족들에게까지 미치게 하고, 벼슬자리를 대대로 세습시키며, 궁궐과 누각과

연못을 지나치게 하며 의복을 사치스럽게 하여, 만백성을 해치고 충신과 어진 사람들을 불태워 죽이고, 임신한 여자의 배를 가르기도 하여 하늘이 크게 노하였다.

목야牧野(지금의 하남성河南省 신향시新鄕市 북부 지역)의 전투에서 승리한 무왕武王은 천하를 통일하였고, 후세의 사가들에 의하여 은殷나라의 31대 왕인 제신帝辛은 하夏나라의 걸桀과 더불어 나라를 망친 대표적인 폭군으로 기록됨으로써, 그 오명汚名이 오늘날까지 후세 사람들의 입에 자주 오르내리고 있다. 역사는 항상 승리한 자들에 의하여 기록되기 때문에 어느 정도 날조된 내용이 있어서 주紂가 한 일들이 과장되었을 가능성도 있을 것이지만 패배하여 죽고 말았으니 어찌할 도리가 없다. 후에 무왕이 자기의 여덟 번째 동생인 강숙康叔을 은나라의 수도 인근 지역을 다스리는 제후로 봉하면서 술에 대한 경계를 당부하는 글(『서경書經』「주서周書」의 편명으로 주고酒誥라고 한다.)을 내렸으니 주紂 임금이 술을 지나치게 좋아한 것은 어느 정도 사실인 듯하다. 주고酒誥의 내용은 다음과 같다.

네 아버지이신 문왕文王이 처음 나라를 창건하여 서쪽 땅에 계실 때에 여러 나라의 선비들과 벼슬아치들을 가르치고 경계하시어 아침저녁으로 당부하시기를 제사에만 이 술을 써야할 것이다. 하늘이 명을 내려 우리 백성들에게 술을 만들도록 한 것은 오직 큰 제사에 쓰게 하기 위함이다. ...중략. 우리 백성들이 크게 어지러워지고 덕을 잃는 것은 술의 작용이 아님이 없고 크고 작은 나라들이 망하는 것도 술의 허물이 아님이 없다. ...중략. 서쪽 땅에 서 우리를 돕던 여러 제후들과 벼슬아치들과 사람들이 문왕의 가르침을 따라서 술에 빠지지 않았기 때문에 지금에 이르러 은나라를 이어 천명을 받을 수 있는 것이다. 지금의 은나라의 마지막 왕은 몸을 술에 빠트려 명령이 백성들에게 드러나지 않으며, 평소에 하는 일들이 원망에 이르는데도 고치지 않고, 헛되이 음란하고 안일함을 따라서 떳떳하지 않음에 이르고, 연회로 인해 위의威儀를 잃었다. 백성들이 모두 아프고 상심하지 않는 자가 없어도 오직 술에 빠지고 황폐하여 오직 스스로 안일함을 그칠 줄 모른다. 그 마음이 미워하고 사나워서 죽음을 두려워하지 않고, 허물이 도읍에 미치고 은나라가 망하는 데에도 근심하지 않는다. 덕德의 꽃같이 아름답고 향기로운 제사가 하늘에 오르지 못하고, 백성들의 원망과 더러운 술 냄새가 하늘까지 들려졌다. ...중략. 어떤 사람들이 네게 고하기를 떼를 지어 술 마신다고 하거든 모두 잡아서 내게로 오면 내가 그들을 죽일 것이고, 은나라의 수受가 인도하였던 여러 신하들과 벼슬아치들이 술에 빠지거든 죽이지는 말고 우선 가르쳐라. 이것들을 지키면 밝게 누릴 것이지만, 네가 나의 가르치는 말을 따르지 않으면, 나도 너를 불쌍히 여기지 않을 것이고 너의 일을 좋게 여기지 않아서 죽일 죄로 다스릴 것이다. 너는 나의 경계를 법으로 들어라! 너의 벼슬아치들을 다스리지 못하면 백성들이 술에 빠질 것이다.

『맹자孟子』「양혜왕하梁惠王下」에도 술을 경계하는 글이 있는데, 거기에서 임금이 나라를 망하게 하는 유흥거리를 네 가지로 예를 들었다. 첫 번째로 '류流'는 강을 따라 흘러내려 가며 돌아가는 것을 잊는 것이고, 두 번째인 '연連'은 강을 거슬러 올라가면서 돌아가는 것을 잊는 것이요, 세 번째인 '황荒'은 사냥에 빠져 싫증내지 않는 것이며, 네 번째인 '망亡'은 바로 술에 빠져 물리지 않는 것이다. 이 네 가지 중에 연連을 제외한 나머지는 글자의 의미를 생각해 보면 그 놀이의 내용을 바로 유추해 볼 수 있는데 연連은 왜 그 이름을 붙였는지 곧바로 알기가 쉽지 않다. 옛날에는 지금처럼 엔진의 동력을 이용하지 않고 사람이 젓는 노의 힘만으로 물살이 센 좁은 강폭을 거슬러 올라가는 것은 아마도 거의 불가능했을 것이다. 그래서 배의 갑판 양 측면에 여러 개의 밧줄을 묶고 강의 양 변에서 여러 사람들이 끌고 올라갔는데, 이것이 바로 연連이다. 그 놀이의 정확한 내용이 어찌 되었든 간에 무도한 임금의 유흥을 위하여 많은 사람들이 동원되어 고통을 받았을 것은 자명한 일이다. 배를 타고 노는 물놀이나 말을 타고 사냥하는 것에 어찌 술이 빠질 수가 있겠는가? 이 네 가지 놀이는 따지고 보면 결국 술이라는 하나의 원인에서 기인하고, 술과 미인에 빠져 정사를 돌보지 않으면서 임금의 자리와 사직社稷이 보존되는 경우는 없을 것이다. 나라는 그나마 임금의 잘못을 간하는 충신들이 있어 어느 한 군주의 잘못으로 곧바로 나라가 망하지는 않겠지만, 한 가정이나 한 개인의 경우에 있어서는 돌이킬 방법이 없을 것이다. 이것이 바로 술이 행복한 삶을 살아가는데 도움을 주기도 하지만 경계하지 않으면 아니 되는 까닭이다.

3. 세상에서 제일 오묘하고 맛있는 술

사람들에게 세상에서 제일 맛있는 술이 무엇이냐고 묻는다면 모두 난감해 할 것이다. 그래도 하나씩 추천해 보라 한다면 각자의 취향에 따라 머리에 떠오르는 술 이름은 각각 다를 것이지만 몇 가지 값이 비싼 술을 들어보자. 맥시코 혁명을 기념하기 위해서 만들었다고 하는'데킬라 레이925'라는 술은 그 값이 30억원이 넘는다고 하는데 술병을 다이아와 백금으로 만들었기 때문에 이렇게 비쌀 것이라 추정된다. 모 경제신문에 실린 기사에 따르면'맥켈란 파인&레어'라는 위스키는 한 병에 21억원이 넘고, 일본의 '산토리 야마자키 위스키 55년'은 2020년 홍콩 경매에서 9억원에 낙찰되기도 했다는 내용도 있다. 그러나 이런 가격이 반드시 그 술의 맛과 비례할 것이라고 말하기는 어려울 것이다. 값을 떠나서 맛있는 술을 들어보라 하면 사람들마다 중국의 술이나, 유럽의 와인 또는 꼬냑, 러시아의 보드카 등등, 세계에서 이름난 여러 가지 술들을 떠올리게 될 것이다. 이처럼 각자의 취향에 따라 달라지는 맛이나 아름다움과 같은 감각은 실체적인 것이 아니고 추상적인 것이라서 그 객관성이 결여될 수밖에 없다. 그럼에도 불구하고 인간의 감각기관이 좋아하는 것을 지각하는 데에 있어서는 어느 정도의 보편성이 있는 것도 사실이다. 맹자孟子는 이것에 대해 다음과 같이 말하고 있다.

> 입이 맛에 있어서 동일하게 좋아하는 것이 있으니, 역아易牙(전국戰國시대 제齊나라의 유명한 요리사. 제齊 환공桓公이

늘 새롭고 기이한 음식을 맛보기를 원하자 자기 자식을 죽여서 음식을 만들어 바쳐 신임을 얻었다고 전해지기도 한다.)는 우리의 입이 좋아하는 것을 먼저 터득한 자이다. 만일 입이 맛을 즐김에 있어서, 타고난 성질이 사람마다 다른 것이 개와 말이 우리와 같은 종류가 아닌 것처럼 다르다면, 천하의 모든 사람들이 어찌 음식 맛을 좋아함에 있어서 모두 역아易牙의 맛을 따라 즐기겠는가? 맛에 있어서는 천하가 모두 역아易牙를 기대하니, 이것은 세상 사람들의 입맛이 서로 비슷하기 때문이다. 귀 또한 그러해서 소리에 있어서는 천하가 사광師曠(춘추시대 진晉나라 사람으로, 진평공晉平公 때 악사樂師를 지냈다. 태어날 때부터 장님이었는데 음률을 잘 판별했고 소리로 길흉까지 점쳤다고 한다.)을 기대하니, 이는 모든 사람들의 귀가 서로 비슷하기 때문이다. 눈도 마찬가지이다. 자도子都(춘추시대 정鄭 나라의 미남자. 『시경詩經』정풍鄭風의'山有扶蘇'에도 그 이름이 보인다.)에 대해서는 천하에 그의 아름다움을 알지 못하는 이가 없으니, 자도子都의 아름다움을 알지 못하는 자는 눈이 없는 자이다. 그러므로 입이 맛에 있어서 똑같이 즐기는 것이 있으며, 귀가 소리에 대해서도 똑같이 듣기 좋아하는 것이 있으며, 눈이 미색에 있어서도 동일하게 아름답게 여기는 것이 있다고 하는 것이다. (출처: 『맹자孟子』, 「고자상告子上」, 제7장)

맹자가 이런 감각에 대한 보편성을 말한 근본 취지는 인간의 본성의 선함을 말하고자 함인데, 인간의 본성의 보편성이란 바로 우리 마음에 갖춰져 있는 인의예지仁義禮智의 도가 모든 사람들에게 태생적으로 동일하다는 것이다. 그러나 본성의 보편성과 감각기관에 있어서 기호嗜好의 동일함을 인정하더라도, 제일 맛있는 술을 선정하는 것은 아마도 불가능한 일일 것이다. 이것은 사람들이 살아온 환경과 민족성에 따라 맛에 대한 가치의 척도와 그 기호가 다르기 때문이다. 그럼에도 불구하고 제일 맛있는 술이 무엇이냐고 내게 묻는다면 나는 기꺼이 하나의 술을 들을 수 있는데, 바로 현주玄酒라는 것이다. 이 현주玄酒는 『예기禮記』(중국 선진시대의 경전으로 시경詩經, 서경書經, 역경易經, 춘추春秋와 함께 오경五經에 속한다. 예법禮法의 이론과 실제를 풀이한 책이다.)에도 보이지만, 소옹邵雍(북송 시대의 학자로 자字는 요부堯夫이고 시호는 강절康節이다. 주돈이周敦颐, 장재張載, 정호程颢, 정이程颐와 함께 북송오자北宋五子로 불린다. 저서로는 『황극경세서』가 유명하다.)이 지은 시詩에 의해서 널리 알려져 있다.

동짓날 밤 12시에 冬至子之半
하늘의 마음은 바뀌거나 옮김이 없구나! 天心無改移
하나의 양陽이 처음 움직이는 곳에, 一陽初動處
만물이 아직 생겨나지 않았도다! 萬物未生時
현주玄酒의 맛은 담백하고, 玄酒味方淡
커다란 소리는 바로 들을 수 없도다! 大音聲正希
이 말이 믿어지지 않거든 此言如不信
다시 복희씨伏羲氏에게 물어 보아라! 更請問包羲

이 시에서 말하는 현주玄酒는 곧 맑은 물을 가리키는데, 시에서 '현주의 맛이 담백한 것과 큰 소리는 들을 수 없다.'라고 한 것은 그 오묘하고 위대한 성품을 칭송하기 위함이다. 또『예기禮記』의 「옥조玉藻」 편에도 제사에는 반드시 이 현주를 올렸다고 하는 기록을 볼 수 있다. 아주 옛날에는 술이 없었기 때문에 어쩔 수 없이 맑은 물을 술 대신에 제사상에 올렸다고 하는 설도 있지만, 그것보다는 지구상에 존재하는 모든 생명체는 물이 없으면 살아갈 수 없을 만큼 중요하고, 그 때문에 산천山川의 신이나 조상에게 제사를 지낼 때 물을 올리는 것이 필수적이라고 보는 것이 더 타당할 것이다. 그런데 이 물을 굳이 현주玄酒라고 칭한 것은 무슨 까닭일까? 그것은 물 색깔이 검기 때문이 아니고 물이 가지고 있는 형언할 수 없는 위대한 공능功能을 찬미하기 위함일 것이다. 현玄이라고 하는 글자가 가지는 의미는 단순하게 검다는 것에서부터 '오묘奧妙하다', '크다', '심오深奧하다', '멀고 아득하다'와 같은 여러 가지 뜻이 있다. 물이라고 하는 것은 담백해서 아무런 맛이 없기도 하지만 갈증이 나서 목이 마를 때에는 그 맛이 표현할 수 없을 정도로 좋다. 그리고 항상 먹어도 질리지 않으면서도 우리의 생명을 유지시켜 주는 고마운 존재이기에 옛사람들은 물을 높여서 현주玄酒라고 하였을 것이다. 그렇기 때문에 물은 인종과 입맛을 떠나서 누구도 부정할 수 없는 세상에서 가장 맛있는 술인 것이다.

| 참고문헌 |

『戰國策』「魏策」
『說文解字』
『史記』「夏本紀」, 「殷本紀」
『周禮』「天官」
『食貨志』
『國語』「晉語」
『列女傳』「孽嬖傳」
『書經』「周書」
『孟子』「梁惠王下」, 「告子上」
『禮記』「玉藻」

I

조선조 술의 해학

이 종 미

이종미

성균관대학교 유학대학원 동아시아 사상·문화학과 석사 및 동대학원 동양철학과 철학박사학위를 취득하였다.
우리문화의 지평을 넓히고 진흥시키기 위한 프로그램을 기획 운영함과 동시에 인문 강의를 통하여 살기 좋은 지역사회 만들기에 진력하고 있다.
현재 성균관대 한국철학문화연구소 선임연구원, 재)한국지역사회교육재단 연구교수, 사)우리문화진흥원 상임이사로 활동하고 있으며, 『율곡의 성리학 체계에 있어 '氣'의 역할』과 『花潭 · 退溪 · 栗谷 성리학 체계에 있어 '氣' 인식의 비교연구』, 『栗谷 · 巍巖 · 鹿門의 性理學 體系에 있어 '氣'의 역할과 위상에 관한 연구』등의 논문을 완성하였으며, 저서로 『평생교육 도반을 만나다』가 있다.

1. 고전에 나타난 술이야기

요즘 “국세청에서 우리 술 세계화에 팔 걷고 나서다.”라는 보도자료가 떴다. K팝의 세계적 흐름 속에서 올여름 국세청은 전통주 · 소규모 주류 제조사들을 규합하여 세계 시장에 문을 두드리고 있다. 해외 주류 시장 개척과 일선에 있는 전문가를 초빙하여 생생한 해외 진출 사례를 제공하고, 해외에 수출하는 인기 제품을 직접 시음해 보는 기회도 제공했다. 우리나라의 팝 음악과 한국적 음식 등등 이제는 세계인들이 우리 문화를 알기 위하여 한글을 배우는가 하면 한국 방문할 때 김치 만들기 체험에 참석하기 위하여 여행 일정에 적극 추가하는 상황이다. 이러한 현실에서 술이 무엇이길래 국가 차원에서 본격적인 문화행사와 함께 현지화 등을 꾀하고 있는 걸까?

예로부터 우리는 봄에 논밭 갈고, 여름에는 김매고 가을걷이로 바쁠 때 빠져서는 안 되는 것이 곡주였다. 새참에 막걸리 한잔은 농번기 농부들의 갈증을 해소하는 청량제였으며, 점심 식사 때는 밥과 함께 보조 역할을 하며 힘든 농사일에 힘을 돋우는 강장제 역할까지 도맡아 왔다.

우리나라는 사계절의 자연조건으로 인해 농업을 기본으로 경제가 빠르게 순환한다. 조상들은 농업을 중시하지 않을 수 없었으며, 농경의 방식과 그에 따른 생활 풍습은 오랜 세월 지속되어 왔다. 이것으로 인하여 농사일과 막걸리는 나라를 다스리는 기반이 되어 왔다.

술은 농경 생활이 시작된 전 인류의 생활 속에 깊숙이 함께해온 식음료 중 하나이다. 인간의 의식에 신성함을 더해주는 제천행사나 남녀가 혼인하는 가장 기쁜 날, 부모님이나 조상이 돌아가시거나 제사를 지낼 때, 종묘사직에 예를 갖출 때 등등 우리 생활 속에 즐거울 때나 슬플 때 혹은 축제와 행사 때 빠져서는 안 되는 식음료로서 사람과 사람을 연결하는 윤활유 같은 존재였다. 그러기에 인간 삶의 기본이 되는 한 해를 마무리하고, 시작하는 이들에게 제천행사는 삶의 일부이고, 그 과정에 참여함으로써 더욱 공동체적 삶이 끈끈해지고 자신들을 기쁘고 즐겁게 하는 매개체가 '술'이다.

시대가 흐르면서 신분 질서가 분화되고 경제의 빈부 격차가 생기면서 술을 대하는 계층도 나누어졌다. 근대사회의 상류층에 해당하는 지배계층은 소수에 불과하고, 임금이나 지배계층에 의해 통제를 받았던 백성들은 대중술을 마실 수밖에 없는 상황이었고 그 양 또한 넉넉하지 못하였다. 조선시대 이전의 술에 대한 기록은 거의 남아있지 않아 무슨 술을 마셨는지 자세히 알기 어렵지만 조선시대 서민들이 주로 즐겼던 술은 탁주였다. 즉 막걸리인 것이다. 일반 백성들이 술에 대한 기록이 남아있지 않으므로 막걸리에 대한 어떤 생각과 의미로 마셨는지는 확인하기 어렵다. 그럼에도 당시 글을 읽는 선비들이 자신들이 마신 탁주에 대한 생각을 정리해 놓았거나 화가들이 자신의 작품세계에서 일상생활을 묘사하는 가운데 풍경으로 남아있는 자료들로 우리는 술에 대한 문화를 짐작할 수 있다.

『서경(書經)』「홍범(洪範)」에 의하면 나라를 다스리는 첫째가 식(食)이라 하였으며 반고(班固)의 「식화지(食貨志)」에 사농공상 중 농업이 두 번째라는 기록이 있다. 『시경(詩經)』 농사일을 노래한 여러 편의 시를 살펴보면 들밥(饁)과 병에 담은 마실 것을 노래한 시들이 다수 발견된다. 특히 「빈풍(豳風)」편에 의하면 농사짓는 농촌의 생활상을 실제 눈으로 보이듯이 자세하게 묘사하고 있다. 중국 당나라 시기의 「돈황벽화」 중에서도 경작하고 수확하는 농사일을 하는 과정에서 밥과 술을 먹는 광경이 포착되기도 한다.

중국에서는 통치자로 하여금 근검한 농부와 누에치는 여인의 수고로움을 알려 바른 정치를 하기 위한 목적으로 제작된 오언율의 '누숙경직도'의 싯귀에 단사호장(簞食壺漿)이란 글이 나온다.

해의일자배(解衣日炙背)	옷 벗어도 해가 등짝에 비추고
대립한유수(戴笠汗濡首)	삿갓 써도 땀에 머리가 젖네
감사모염증(敢辭冒炎蒸)	더위 속 일을 감히 사양할까

단욕거랑유(但欲去莨莠) 갖은 나물 캐어다가
호장여단식(壺漿與簞食) 병에 담은 마실 것과 소쿠리밥
정오래향부(亭午来餉婦) 한낮에 여인들이 가져오네
요아지가색(要兒知稼穡) 아이도 농사일을 알게하려
기일사휴유(豈日事携幼) 날마다 일삼아 어린애를 데려오나.

또한 맹자 양혜왕장의 "지금 연나라 군주가 그 백성들을 학대하자 왕께서 가서 정벌하시니, 연나라 백성들은 왕께서 장차 물과 불같은 모진 고난으로부터 자기들을 구원해 줄 것이라고 여기고, 광주리에 밥을 담고 병에 술을 담아와 군대를 환영한 것입니다." 또 "만승의 나라로서 만승의 나라를 공격할 때 대소쿠리의 밥과 직접 담은 마실 것으로 왕의 군대를 맞이한다면 어찌 다른 무엇이 필요하겠습니까"는 내용이 발견된다. 춘추전국시대에 제나라가 연나라를 정벌하였을 때 백성이 군사를 환영하여 위로하는 뜻으로 음식과 술을 베풀었다는 것이다.

우리나라도 예외는 아니었다. 예로부터 부족국가가 형성될 때부터 우리민족은 술을 좋아했다. 삼국지 위서 동이전 부여조(魏書 東夷傳 夫餘條)의 기록에 의하면, "은력(殷曆) 정월에 하늘에 제사하고 백성들이 크게 모여서 날마다 술을 마시고 먹고 노래하고 춤추니, 이름하여 영고(迎鼓)라 하였다. 이때에는 형벌과 옥사를 판결하고 죄수들을 풀어주었다."는 기록이 남아있다. 고구려의 동맹(東盟)과 동예(東濊)의 무천(舞天) 등 고대의 제천행사를 통한 국가 차원의 추수 감사제를 올릴 때도 술은 반드시 필요한 것이었다. 이를 보면 술은 우리 민족의 삶과 긴밀하게 연관되어 있었다.

2. 풍속화에 비추어진 술 문화

우리 선조들의 농사 현장으로 들밥을 내어가는 여인과 술병을 들고 따르는 아이들을 묘사하는 작품 또는 산수화에 등장하는 들밥과 술을 내어 주는 여인들의 모습 등은 우리 조상들의 풍속화에 자주 등장한다.

김홍도의 작품으로 전하는 ≪평양감사향연도≫ 중에서 〈부별루연호〉에서도 봄철의 농사 현장을 볼 수 있다. 평안도 관찰사 부임을 축하하기 위하여 모란봉 산기슭의 부벽루 밖에서 벌어지는 연회를 묘사한 것이다. 이 작품은 부벽루의 오른쪽 뒤 능라도에서 밭 갈고 쟁기질하는 농부의 모습이 아련히 묘사하였는데 여인은 이미 농부에게 술을 내어 배불리 먹인 후 집으로 돌아가는 듯하다. 머리에는 술 단지를 이고, 손에는 간단한 안주 그릇을 들고 있고, 그 뒤로는 강아지가 살랑살랑 따르고 있다. 우리의 전형적인 농촌풍경을 묘사한 작품으로 우리 옛 선조들의 생활상을 그대로 엿볼 수 있다. 특히 우리는 하루 세끼를 거르지 않고 먹어야 건강하게 살 수 있다고 하였는데 옛 화가들의 작품에 농촌풍경에 한 끼의 밥과 술이 찰떡처럼 함께 보인다는 것이다. 그만큼 생활 속에 술은 밀접하게 자리하고 있다고 해도 과언이 아니다.

영일불사서곽두(永日不捨鋤钁篼) 긴긴 해 다하도록 호미 괭이 삼태기 놓지 않고
배적한증구차조(背炙汗蒸口且燥) 등 뜨겁고 땀 흘리니 입도 또한 말라가네
종수완반삽분료(縱餿碗飯澁盆醪) 그릇 안 밥이 쉬고 동이 속 술 떫어도
유의기갈진양약(猶醫飢渴眞良藥) 기갈을 면하는 데 참으로 양약이네.

19세기 중엽의 김동수(金逈洙)의 『농가십이월속시』에서도 김매기 노동 현장의 점심밥에 대한 내용을 찾을 수 있는데, 밥과 술이 배고픔과 목마름, 즉 술은 기갈 해소의 음료로 묘사되어 있다.

이렇듯 우리 풍속화 속에 농번기의 다양한 상황들을 화폭에 묘사한 정경을 토대로 밥과 술이 빼놓을 수 없는 서민들의 생활상에 기본임을 알 수 있다. 우리 조상들은 농번기 노동 현장 속에서 들밥은 기본이지만 바늘과 실처럼 함께 따라왔던 음식이 바로 술이었다.

조상들이 생활상 속에서 술은 직간접적으로 힘든 노동의 고통을 달래주는 유일한 식문화로 자리잡기도 했지만, 지나치게 폭음하여 사회 병폐가 되기도 하였다. 그런 상황을 증명하듯 조선시대엔 금주령이 내려지기도 하였는데, 그럼에도 풍속화 속의 생활상을 보면 술병이나 술 항아리를 들고 따르는 아이, 술을 마시는 농부들의 일상이 자연스럽게 표현되어 있다. 그러나 풍속화속의 들밥과 술 항아리들이 자주 묘사되는 것으로 보아 조선의 왕들은 금주령을 내렸음에도 불구하고 농사일에 지친 농부의 기운을 북돋아 주는 활력소 같은 음료인 술을 인정한 것으로 보인다. 금주령을 가장 강력하게 시행했던 왕인 영조(英祖 1724~1776)는 재위 31년(1755년)째 되던 해 "軍門의 군사들에게 음식을 베풀어 위로하는 호궤(犒饋)에는 단지 탁주만을 쓰고, 농민들의 보리술과 탁주 역시 금하지 말아야 한다"하였다. 이런 것을 토대로 볼 때, "경외의 軍門을 논하지 말고 제사 · 연예(讌禮) · 호궤와 농주는 모두 예주(醴酒)로 허락하라"하였음이 주목된다. 술은 조선시대 금주 제도의 험한 과정 속에서도 권농정책의 일환으로 농번기 힘들게 일하는 농부들에게 허기와 기운을 북돋아 주는 역할로 허용되었고, 이는 금주 제도 속의 얼핏 모순되어 보이지만 국가를 운영하는 데 있어 여유로운 국정운영의 중요한 측면으로 작용하였다.

이렇듯 다양한 서민들의 생활 모습을 한 폭의 풍속화, 한편의 시구절로 표현한 것을 토대로 한국적인 미의 세계화로 승화시키거나 한 민족의 공통적인 삶의 풍속에 술이라는 음료가 자리하고 있음을 살펴보았다.

3. 술의 순기능과 역기능

그렇다면 조선의 생활문화에 있어 술이 사람에게 어떠한 작용을 하기에 임금님도 눈을 감아주었을까? 생각하지 않을 수 없다.

우리 민족이 즐겨 마시는 술은 크게 청주와 탁주로 나눈다. 술을 거른 형태에 따라 조상들은 고급 소주인 청주(淸酒)를 성인(聖人)이라 하고, 대중적 술인 탁주(濁酒)를 현인(賢人)이라고 하였다. 청주와 탁주를 성인과 현인으로 구분 지었지만 모두 인간 세상의 바람직한 긍정의 마인드로 인식하고 있음을 알 수 있다.

조선 초기 소주는 양반들에게만 접근이 허용된 기호식품이었으나, 사치스러운 고급 술로 인식되었기 때문에 일반 백성들은 거르지도 짜지도 않고 자연 그대로 마시는 탁주를 즐겨 마셨다. 소주의 제조 방식은 발효시켜 증류하는 형식을 취했기 때문에 곡식이 많이 들고 생산량도 극소량만 생산되었다. 이로인해 소주는 일반 백성이나 양반사대부들도 접근하기 힘들었다. 하여 실상은 탁주가 더 풍성하게 백성들의 배를 채우기에 넉넉했을 것이다.

『논어』 향당편에 "오직 술은 한량이 없으나 취하여 행동이 흐트러지게 마시지 않았다."라고 기록되어 있다. 공자는 한 번에 많은 양의 술을 마시더라도 결코 실수한 적이 없다. 술을 많이 마시는 것은 사람과 사람의 대화를 이어 주는 매개체로서 소통의 역할을 하였으나 항상 자기 스스로 절제할 줄 아는 수신(修身)이 기본이 되어야 한다는 의미이다. 자유를 허용하되 스스로 흐트러지지 않기를 경계한 것이다. 또한 주역 마지막 괘인 '화수미제(火水未濟)'의 효사에 "술을 마시는 일에서도 한마음을 유지하면 허물이 없지만, 그 절도를 모르면 한마음을 가지더라도 옳음을 잃을 것이다."라고 풀이한다. 서로 상극인 불과 물이 만나 모든 것이 제자리를 잃어 정돈되지 않을지라도 냉정하게 상황을 잘 판단하라는 수신을 권하고 있다.

술을 마시더라도 새로 다가올 일에 대비하여 적당히 마셔야 한다. '술 마시는 일에도 한마음을 유지하면 허물이 없다'고 한 것은 객관적 예법과 절도가 있어야 하기 때문이다. 마음만 믿고 그것을 무시한 채로 지나치게 술에 빠져 흥청거리면 사람들에게 비웃음거리가 될 뿐이기 때문이다. 인간의 삶을 보더라도 시작하는 것보다 마치는 것이 더욱 어렵다. 죽으면 끝이라는 생각이 있으나 인생이란 죽음으로 끝나지 않는다. 인간의 죽음은 육체적 존재에만 한정짓지 않는다. 호랑이는 죽어 가죽을 남기고 사람은 죽어 이름을 남긴다는 옛말이 있듯이 인간은 사후에 이름이 남는다. 그 때문에 시작할 때 제대로 시작하고, 삶을 마감할 때 제대로 마칠 수 있어야 한다.

앞서 주역 미제괘에서 공자는 '술 마시는 것을 경계하라."고 한 것은 당시 사회상에서 잘못된 음주 문화에 대한 은유적 화법으로 인간이 삶을 마무리할 때를 중요하게 여겨 술을 강조한 것이다.

이규보의 국선생전(麴先生傳)에 술을 의인화한 작품이 『동국이상국집』 전집(全集) 권20과 『동문선』에 수록되어 있다. 주인공 국성(麴聖)은 주천(酒泉) 고을 사람으로 아버지는 차(醝)이고 어머니는 곡씨(穀氏)의 딸이다. 서막(徐邈)은 어린 국성을 사랑하여 국성이라는 이름을 붙여주었다. 국성은 어려서부터 이미 깊은 국량(局量)이 있었다. 손님이 국성의 아버지를 찾아왔다가 국성을 눈여겨보고 "이 아이의 심기(心器)가 만경의 물과 같아서 맑게 해도 더 맑지 않고, 뒤흔들어도 흐려지지 않는다"고 칭찬하였다. 국성은 자라서는 유령(劉伶) · 도잠(陶潛)과 더불어 친구가 되었다. 임금도 국성의 향기로운 이름을 듣고 그를 총애하였다. 그리하여 국성은 임금과 날로 친근하여 거리낌이 없었고, 잔치에도 자유로이 노닐었다. 국성의 아들 삼형제 혹(酷) · 포(醭) · 역(醳)은 아버지의 총애를 믿고 방자하게 굴다가 모영(毛穎)의 탄핵을 받았다. 이로 말미암아 아들들은 자살했고, 국성은 관직에서 물러나 서인으로 떨어졌다. 그러나 국성은 뒤에 다시 기용되어 난리를 평정하게 함으로 공을 세웠다. 그 뒤 스스로 분수를 알아 임금의 허락을 받고 고향에 돌아갔으나 갑자기 병이 생겨 세상을 떠났다. 사신(史臣)이 말하기를, "국씨는 대대로 농가출신이다. 국성이 순수하고 후덕한 덕과 맑은 재주로 임금의 심복이 되어 나라 정사를 짐작하고, 임금의 마음을 윤택하게 함에 있어 거의 태평한 경지의 공을 이루었으니 장하도다."고 하였다. 이규보는 이 작품을 통해 술과 인간과의 관계에서 빚어지는 德과 패가망신의 인과관계를 임금과 신하 사이의 의리로 옮겨놓고, 그 성패를 비유적으로 다루고 있다. 특히, 주인공 국성을 신하의 입장으로 설정하고 있다. 이러한 설정은 유생의 삶이란 근본적으로 신하로서 군왕을 보필하여 치국의 이상을 바르게 실현하는 데 있음을 드러내기 위한 의도일 것이다. 신하는 군왕으로부터 총애를 받게 되면 자칫 방자하여 신하의 도리를 잃게 된다. 그러면 신하는 한때 무엇이든 할 수 있는 능력을 지닌 존재에서 국가나 민생에 해를 끼치는 존재로 전락하기 쉽다. 마침내 자신의 몰락까지 자초하고 마는 경우가 다반사이다. 따라서, 『국선생전』은 신하는 신하의 도리를 굳게 지켜나감으로써 어진 신하가 될 수 있음을 보여주면서, 동시에 때를 보아 물러날 줄도 알아야 한다는 내용을 '술의 미덕'에 빗대어 표현하고 있다.

4. 호음(豪飮) 문화에 대한 담론

음주 행위가 단순히 술과 관련된 일화를 중심으로 기록하기 보다는 사회적 특정한 시기의 풍습적 음주 문화에 대하여 살펴보았다.

조선이라는 동일한 시대와 공간에서 음주 문화를 살펴보면 그 시대의 양반은 천민의 호음(豪飮)에 대하여 비웃음의 대상으로 그려지기도 하였다.

초기 조선조 「조선실록」 18년 4월 29일 기록에 의하면 “요즘은 길거리에서 대소귀천 가릴 것 없이 모두 연회에 절도가 없어 고기와 술이 흥청망청이고 음악이 여기저기에서 시끄러운 것이 태평하여 근심이 없는 것이 매우 한심하니 술병을 가지고 다니는 것을 일체 금하게 하라.”고 기록되어 있는 것을 보면 음주가 대단히 성행했던 것으로 짐작된다.

음식은 사람이 먹을 수 있도록 만든 모든 것을 통틀어 이르는 말로 거기에는 인간의 노동이 가미되어 가치를 창출하는 일체의 모든 것을 포괄하고 있다. 이런 차원으로 본다면 술도 음식의 일환으로 음식(술) 문화는 질적인 면에서 색 · 향 · 미의 차원이나 그 음용 하는 예법 또는 매너를 중시하는 경향성으로 그 차이점을 짐작할 수 있다. 특히 양반들이 즐겨 마셨던 소주는 영양가보다는 사람을 기분 좋게 하는 기능적인 면에서 더욱 유효하였다. 소주는 영양가는 별로 없지만 가격이 매우 비쌌다는 이유로 양반들의 고급 취향을 나타낸 대표적 기호품이라 할 수 있다. 고려시대부터 조선 초기까지 소주는 발효시켜 증류하기 때문에 곡식이 많이 소요되어 고급주로 인식되었다. 성종실록에 의하면 곡식의 낭비를 이유로 사간원 조효동(趙孝仝)이 소주를 금지하는 간언의 글이 보인다.

‘세종조(世宗朝)에는 사대부 집에서 소주(燒酒)를 드물게 썼는데 지금은 보통 연회에서도 모두 사용하므로 낭비가 막심하니, 청컨대 모두 금지하도록 하소서.’하니, 임금이 말씀하기를 ‘이와 같은 일은 사헌부에서 마땅히 금지할 것이다.’ 하셨다.

이처럼 고급스러운 취향을 가진 소주를 비롯한 술이 조선 왕조 내내 금주령이 시행되었다고 할 수 있으나 태종 · 세종 · 성종 시대에는 더욱 금주령이 자주 시행되었다. 역설적으로 금주령이 자주 내려지면서 소주를 비롯한 각종 술이 양반들에게 크게 관심을 이끌어낸 좋은 기호품이 된 계기이기도 하다. 나라에서는 자연재해를 이유로 금주령을 발효하였으나 지속력이 약하여 시간이 지날수록 자연스레 느슨해지면서 그 효력은 강력하지 못하였다. 영조시대의 금주령에 의한 형벌은 사형에 처하는 중벌을 내리기도 하였으나 실제로는 처벌을 약하게 받거나 양반들은 처벌받지 않았으며 별다른 벌칙이나 제약도 없었던 것으로 보인다.

당시 사회적 분위기를 짐작하게 하는 세종실록에 의하면 "태종께서 말씀하시길 '술을 금하는 것은 무익한 것이다. 부호들은 금지된 법망을 교묘하게 피하고, 빈약한 자들만이 조에 걸려든다'고 하셨는데, 내가 직접 접해보니 과연 태종의 말씀이 이해가 된다."라고 회고하고 있다. 이처럼 조선시대 사람들은 신분을 가릴 것 없이 술을 굉장히 좋아했으며, 오죽하면 태종의 금주령이 무의미하다고 말하는 것과 세종이 또한 금주령에 부정적이면서도 당시 시대적 상황에 슬그머니 눈감아 주고 있음을 볼 수 있다. 그럼에도 불구하고 조선조에 일반백성들이 즐겨 마시던 술에 대해서 긍정의 의미가 담뿍 들어있는 것 같기는 하다. 그렇다고 역대 군주가 모두 무한 긍정적이지는 않았다.

술의 폐해에 대하여 다음과 같은 글이 세종실록에 보인다.

"술의 폐해는 크나, 어찌 특히 곡식을 썩히고 재물을 허비하는 일뿐이겠는가? 술은 내적으로 마음과 의지를 손상시키고 외적으로는 위의(威儀)를 잃게 한다. 혹은 술 때문에 부모의 봉양을 버리고, 혹은 남녀의 분별을 문란하게 하니, 해독이 크면 나라를 잃고 집을 망하게 만들며, 해독이 적으면 개인적인 성품이 파괴되고 생명을 상실하게 한다. 그것이 강상(綱常)을 더럽히고 문란하게 만들어 풍속을 퇴폐하게 하는 것을 이루 다 열거할 수 없다."

조선 초기 술의 폐해 중에 곡식의 낭비와 같은 것 이외에 보다 근본적인 이유는 나라의 패망과 개인의 파괴와 생명의 상실을 들며 그 폐해를 일반 백성들에게 알리는 술의 부정적 측면을 말하고 있다. 개인의 마음가짐과 의지 그리고 위엄성의 손상은 작게는 인간성의 저해이지만 크게는 가문과 나라의 매우 중차대한 폐해이기 때문이다. 개인은 내면과 외면에 대한 수신의 문제뿐만 아니라 부모의 봉양 문제나 남녀 관계의 불화로 이어져서 작게는 가문의 문제로부터 크게는 치국(治國)의 차원까지 혼란을 초래한다. 이러한 술의 부정성은 '나로부터 가문으로, 그리고 국가의 위계'까지 문제가 있음을 지적한다. 마음과 의지 그리고 개인의 엄숙한 몸가짐 등의 손상은 수신의 실패로 지극히 개인의 작은 손상으로 보이지만 다른 모든 범주의 기초를 해친다는 점에서 중차대한 폐해일 수 있다.

이러한 시대적 배경으로 볼 때 조선의 술에 대한 시각은 음용하는 자체를 불선(不善)으로 보았다. 그러나 잡록에 나타난 음주 행위는 결코 부정적이지만은 않다. 공식적인 시각은 不善이나 정치 · 경제 · 사회제도에 대한 시대적 담론과 잡록의 사례에서는 큰 차이점이 발견되기도 한다. 양반에 대한 공식적인 경계에도 불구하고 양반의 음주 행위는 매우 빈번하게 무절제한 형태로 나타난다. 그 사례로는 '삼배주계(三杯酒

戒)'라는 일화에서 알 수 있다. 한국문헌 설화에 의하면 세종은 윤회(尹淮)와 남수문(南秀文)에게, 성종은 손순효(孫舜孝)에게, 정조는 이문원(李文源)에게 삼배주계를 내렸다는 일화가 있다. 윤회 삼배주계의 일화을 소개하면 다음과 같다.

> 문도공(文度公) 윤회와 집현전 학사 남수문은 모두 문장에 뛰어났는데, 술을 좋아하여 항상 정도에 지나쳤다. 세종께서 그 재주를 안타깝게 여겨 술을 마실 적에 석 잔을 넘지 못하도록 명하였더니, 그 뒤로부터 두 공(公)은 반드시 큰 그릇으로 석 잔을 마시니, 이름은 비록 석 잔이라도 다른 사람보다 곱절을 마셨다. 세종께서 듣고 웃기를, "내가 술을 조심시킨 것이 도리어 술을 많이 먹도록 권한 것이 되고 말았구나."하셨다.

술 사랑이 지극한 윤회는 조선 초기 대표적 문인 가운데 한명이다. 세종이 윤회에게 세 잔 이상 마시지 못하게 하는 '삼배주계'를 내린 것이나, 윤회가 큰 술잔으로 석 잔을 마시면서 겉으로는 임금의 명령을 어기기 않고, 자기의 술 사랑을 충족시키는 것은 윤회의 위트를 느낄 수 있게 한다. 집현전 학사 남수문도 마찬가지다. 또한 양반들은 술과 맛난 음식을 즐겨 먹으며 그것에 집착하기도 한다.

태종 5년 문안공(文安公) 이사철(李思哲)은 몸집이 커서 음식을 남보다 유달리 많이 먹었는데, 항상 큰 그릇의 밥과 찐 닭 두 마리와 술 한 병을 먹었다. 등에 종기가 나서 거의 죽게 되었을 때, 의원이 불고기와 독주(毒酒)를 금해야 한다고 말하니, 공이 말하기를 "먹지 아니하고 사는 것보다 차라리 먹고 죽는 것이 낫지 않을까?" 하면서 여전히 술을 마시고 불고기를 먹어도 마침내 병이 나으니, 사람들이 말하기를 "부귀를 누리는 사람은 음식 먹는 것도 보통사람과 다르다."고 하였다.

이처럼 조선 초기의 사례를 보면 술과 음식 특히 소주와 같이 독한 술에 집착하는 성향이 보인다. 이사철이 술과 음식의 종류와 양은 다양하다. 당시의 경제적 여건을 고려할 때 누구나 먹을 수 있는 양은 아니다. 의원의 만류에도 불구하고 음식과 술에 대한 탐욕을 일반사람들은 '부귀를 누리는 사람들은 먹는 것도 보통 사람과는 비교할 수 없다.'라고 표현하고 있는 것으로 보아 음식을 즐기며 술을 즐기는 자의 문제를 신분과 관련지어 언급하고 있다. 이는 단순한 취향을 넘어 주체의 부귀에 대한 하나의 선망의 대상이 되고 있음을 짐작하게 한다.

세조 때 지중추(知中樞) 홍일동(洪逸童) 역시 음주와 음식을 즐기는 대표적 양반이다. 세조가 홍일동을 참으로 힘이 센 장사라고 했다는 기록이 나오는데 제도적으로는 금주령을 내려 부정적 의미를 부여했으나 사회적 풍습이나 경향성이 결코 부정적이지 않았음을 보여주는 사례도 있다.

필원잡기의 기록에 보면 홍일동은 인격이 우뚝하게 뛰어나고 성품이 천진하며 겉치레를 꾸미지 아니하였다. 사부에 능하고 술을 많이 마셨는데 정신없이 취하면 풀잎으로 피리 소리를 내었는데, 소리가 비장(悲壯)하고 위엄이 있었다. 평상시에 혼자 오래된 거문고를 어루만졌는데, 줄은 있어도 악보는 없었다.

말히기를, "나의 거문고는 천고에 전하지 않는 도연명(陶淵明)의 지취(志趣)를 얻었다. 옛날에 백아(伯牙)가 거문고를 타자 오직 종자기(鍾

子期)만이 그 뜻을 알았는데, 나의 거문고는 도연명이 나오지 않으면 세상에서 알 사람이 없다." 하였으니, 천지에 기이한 사람이었다.

일찍이 임금 앞에서, 부처의 일을 논박하다 세조가 거짓으로 성내기를, "이놈을 죽여서 부처에게 사례하겠다."하고, 좌우에 있는 사람에게 명하여 칼을 가져오라 하여도 홍일동은 태연하게 변론했으며, 좌우에서 거짓으로 칼을 정수리에 두 번이나 문질렀지만 돌아보지 아니하고 두려운 기색도 없었다.

세조가 장하게 여겨, "네가 술을 먹겠느냐."하니, 일동이 대답하기를, "번쾌는 한나라 무사이며, 항왕은 다른 나라의 군주였는데도 항왕이 주는 한 동이 술과 돼지다리 하나를 사양치 않았는데, 하물며 성상께서 주시는 것을 사양하겠습니까."하였다.

임금이 이르기를, "죽음을 두려워하느냐?" 하니, 홍일동은 대답하기를 "죽는 것이 마땅하면 죽고, 사는 것이 마땅하면 사는 것인데, 감히 죽고 사는 것으로써 그 마음을 바꾸겠습니까" 하니, 임금이 기뻐하여 멋진 가죽옷 한 벌을 주어서 위로하였다.

홍일동의 에피소드를 보면 술을 많이 마신다는 소개에 이어 술을 많이 마시는 것이 인격이나 성품을 부정적 이미지가 아니라 오히려 풍부한 문학적 소양을 갖춘 당대의 문장가로 소개하는 것을 알 수 있다.

이는 술을 잘 마신다는 인물의 정체성을 규정하는 요소이기는 하지만, 인격과 성품 등의 내면적 자질과 한시에 능통하다는 능력적 자질에 비해서는 부차적인 것으로 묘사되고 있음을 알 수 있다.

술을 많이 마신다는 것은 인격이 훌륭하거나 시에 능통하다는 능력적 자질과는 결이 다르다. 그럼에도 불구하고 공식적 시각으로 보았을 때, 인격이나 성품 그리고 시와 음악에 능통하다는 내면적 자질 측면에서 긍정적인 평가와, 술을 많이 마신다는 매우 부정적 평가의 이중성이 섞여 있다. 그러나 이러한 서술은 술을 많이 마신다는 것을 다른 내면적 평가와 함께 긍정적 측면도 소개되면서 긍정적 사실 가운데 하나로 자리매김 되고 있음을 알 수 있다. 이러한 호음(豪飮)에 대한 조선 시대 상황에서 볼 때 공식적 부정적 시각과는 큰 괴리감이 있음을 느낄 수 있다. 그렇다면 호음에 대한 비공식적 담론에 대한 긍정적 평가가 가능했던 이유는 무엇인가 알아보자.

5. 몸 · 마음, 유기체적 조화를 이끄는 술

세조 앞에서 홍일동의 음주 행위는 그 인격의 내면적 품성과 문장 · 호음 · 풍류의 외면적 성향이 서로 별다른 연관성 없이 소개되어 있으나 자세히 보면, 세조 앞에서 불교를 비판하여 목숨이 경각에 달렸음에도 크게 노한 세조가 내렸던 술을 의연하면서도 힘차고 당당하게 마시고 있는 것을 보면 내면적으로 그의 '우뚝(卓犖)함과 대범함'의 자질을 드러내는 지점이다. 그의 대단한 호음을 보여주는 사례에서 내면적 자질과 호음을 단순 연결 관계나 혹은 '내면적 자질이 뛰어나면서도 술을 많이 마신다.'라는 것은 서로 인과 관계가 성립될 수 있다. 이는 당시 음주는 음주자의 긍정적 내면의 자질과 품성을 드러내는 하나의 계기가 될 수 있기 때문이다.

홍일동의 사례에서 보듯이 임금 앞에서도 할 말을 거침없이 하는 '우뚝함'은 죽고 사는 것에서 초연할 수 있는 대범함을 가졌기에 가능하다. 항아리에 가득 담겨있는 술을 단숨에 마시는 호음은 개인의 대범함과 연결된다. 즉 호음은 내면적 자질이 크고, 강하다는 것을 은연중에 암시하는 하나의 사례이다. 이렇듯 술에 대한 긍정의 사례는 삼배주계의 대상이 되었던 윤회의 일화에서 또 찾을 수 있었다.

당대 문장이 으뜸이었던 윤회는 평소 술을 좋아하여 너무 양을 과하게 마신 그는 집에서 술이 만취가 되어 누워있을 때. 세종이 신하를 보내어 급히 조종으로 불렀다. 좌우의 사람이 붙들어 겨우 일으켜서 말에 태우니 아직도 취기가 깨지 않아 사람들이 모두 걱정스럽게 바라보았는데, 오히려 임금 앞에 이르러서는 조용히 나아가 조금도 취한 기색이 없어 보였다. 임금이 선포할 글을 만들 기초를 명하니, 나는 듯이 붓을 휘둘렀으되, 모두 임금의 뜻에 합당하게 하니 임금이 말하기를, "참 천재로다."라고 칭찬하였다. 당시 사람들은 "문창성(文昌星)과 주성(酒星)의 정기가 모여 한 현인을 낳았다."고 칭송하였다.

이 일화에서 보듯이 윤회의 호음에 대한 태도도 임금의 명에 거침없이 해내는 능력을 보인 것을 두고 모두 칭송하고 있다. 임금의 부름에 술에 취하여 몸을 가누지 못할 정도로 만취되어 말을 탈때에도 신하들의 부축을 받아야만 했던 윤회였으나 임금 앞에서는 취한 내색이 없었으며, 만취 상태에서 쓴 제서의 문장도 뛰어났다. 여기에서 취한 육체와 취하지 않은 정신이 절묘하게 대립되어 있지만 임금 앞에서는 취하지 않은 것처럼 보이고, 평소처럼 훌륭한 글을 써 내려간 것을 보고 사람들은 윤회를 칭송하지 않을 수 없었다.

비슷한 사례로 성종때의 손순효에 대한 일화도 있다. 손순효 역시 매우 재주가 뛰어나 성종의 총애를 받았다. 그러나 술이 너무 과도하여 석 잔을 초과해서는 못 마시게 명하였다. 성종은 중국에 보낼 하표(賀表)문이 마음에 들지 않아 대제학인 손순효를 불러왔다. 그는 술이 덜 깬 상태에서 불려 나왔다. 순효의 과음을 문책하니, 시집간 딸 집에서 큰 놋그릇으로 석 잔을 마셨다고 답하였다. 임금이 취중임을 이유로 글쓰기를 만류했으나 즉석에서 글을 지어 바쳤는데, 임금의 눈에 한 글자 한 획도 어긋남이 없었다. 이어 임금이 그에게 술을 하사하고 운자를 불러 시를 짓게 하며 춤을 추도록 하였다. 손순효가 술에 취해 잠드니, 임금이 자신의 남색 비단 철릭을 덮어 주었다.는 일화가 있다.

이러한 사례들을 볼 때 많은 음식을 즐겨하고 무절제한 음주에 대한 합리화가 마련되는 지점이 바로 취하지 않은 정신이 취한 육체를 제어하고 있다는 것이다. 유교적 의식 속에서 몸과 마음이 다르게 갈등을 일으키는 것이 아니라 서로 조화(造化)를 이루는 것이다. 즉 서로 다른 것이 아니라 하나라고 보는 심신일원론(心身一元論)의 관점에서 판단하고 있다.

인간의 존재 측면에서 보면 몸이라는 물질적인 신체가 있고, 마음(心性)이라는 우리 눈으로는 볼 수 없고 만질 수도 없는 가치의 측면이 있다. 일반적으로 몸과 마음은 분리할 수 있는 것은 아니다. 정신은 속에 깊숙이 감추어져 있고, 물질은 겉으로 드러나지만 이 둘은 식물의 뿌리와 가지가 하나로 이어져 생명이 연속되듯이, 마음이 뿌리가 되고 몸이 가지가 되어 유기적으로 조화를 이루고 융합되어 일체를 이룬다.

이렇듯 심신일원론적 관점에서 보았을 때 손순효의 일화에서도 정신과 육체의 조화로운 요소가 담겨있다. 임금 앞에 서기 전까지 몸을 가누지 못하는 취한 사람이었지만 임금 앞에서는 임무를 충실하게 수행하는 실력자였다. 취한 몸을 정신이 몸을 통제할 수 있는 기저를 보여준 것이다. 비록 몸은 취해 있어도 정신은 취하지 않을 수 있음이다. 이는 무절제한 음주를 합리화하는 기제가 된다. 조선 초기에 무절제한 음주에 대한 일화는 취하지 않은 정신이 취한 몸을 제어할 수 있다는 강한 믿음이 전제되었던 것이다.

| 참고문헌 |

『서경』

『시경』

『맹자』

『논어』

『주역』

『조선실록』

『동국이상국집』

I

조선 후기 영·정조의 음주 문화

'금주(禁酒)'의 영조와 '불취불귀(不醉不歸)'의 정조

심순옥

심순옥

성균관 대학원에서 유교철학을 전공하였으며 동대학에서『다산실학 성립과 상제관 연구』 논문으로 철학박사 학위를 취득하였다. 현재 성균관대학교 유교문화·콘텐츠연구소 연구원으로 있으며 향교 및 지역단체에서 강의를 하고, 퇴계국제 학술학회 등 학술회에 논문발표와 비평 등의 활동을 하고 있다. 「정조와 다산경학 연구의 이론적 차이 고찰」외 「조선 후기 기해예송의 '사종설'에 드러난 참 의미」, 「조선천주교에 미친 퇴계의 영향」등의 논문이 있다.

술의 역사는 인류의 역사와 견줄 수 있으리만큼 오래되었다.

술에 대한 평가 역시 매우 다양하며, 그 종류는 민족 간 특유의 제조법에 따라 특색을 갖추고 있다. 술의 제조법은 지구 각 지역의 기후와 풍토, 풍속 경제 상황에 따라서 발전되며 유지되었다. 또한 인간에게 행복과 불행을 함께 가져다 주는 평가를 받아'백약중의 최고(百藥之長)'라는 선한 이름과'미치게 하는약(狂藥)'이라는 별칭을 가지고 있다. 그리고 국가의 경제적 상황을 고려하며 유지되기도 하였는데, 우리 민족이 음주와 가무를 즐기는 민족이라는 것은 익히 알려진 사실이다.

본서에서 필자는 조선의 왕조 기간, 특히 조선 후기 영조와 정조대 술이 지닌 의미를 사회적, 문화적 혹은 정치적 방향에서 살펴보려고 한다. 영조와 정조의 치세 년 간은 조선의 르네상스 기간이라는 평가를 받는다. 탕평 정치와 균역법 시행 등 정치 · 사회적 변화와 함께 학문적으로도 사상적 전환이 이루어지던 시대였다. 영조와 정조의 즉위 과정과 치세 기간 매우 다이나믹 하였음은 드라마나 영화 등을 통해서도 널리 알려진 사실이다. 하지만 술에 대한 두 임금의 견해는 극과 극이었으며 모두에게 정치적으로 매우 중요한 사안이었다. 두 임금에게 있어서, 술의 역할이 있었다면 그것이 무엇인지를 확인하고 자세하게 살펴보고자 한다.

1. 18세기 도성 한양의 술 문화와 종류

조선 후기(18·19세기)에 조선의 전체 인구수는 8백만으로 그 중 도시 한양은 8만 가구에 30만여 명으로 헤아려진다. 1766년경 종로 청계천 근처에는 유명한 술집'군칠이집'이라는 술집이 있었다. 이는 술을 직접 빚어 파는 양조장 겸 주막으로 매우 큰 주루(酒樓)였다.

뒷날엔 음식과 술을 함께 파는 요릿집이 된다. 당시 한양에는 크고 작은 이러한 술집이 많았다. 번창하여 유명세를 입게 되면 원조 군칠이,'진짜 군칠이집'등의 간판을 거는 상황까지 되었고'군칠이집'은 술집을 가리키는 일반명사로 쓰이게 되었다. 술독이 100개가 넘고, 안주로는 주메뉴가'보신탕'이며 보충 안주로 고기 안주들이 있어 맛의 유명세가 대단하였다. 그 외 크고 작은 규모의 술집이 있었으며 백여 개가 넘는 술독을 보유한 큰 술집도 여러 집이 있었다. 영조 임금대에 내려졌던 강력한 금주 정책과 달리 정조대에는 술에 대한 강력한 제제가 없었다. 항간에 네 명에서 다섯 명이 모이면"지난 밤 군칠이 집에 술을 새로 담갔겠지?"하는 것이 안부 인사일 정도였다고 하니 당시의 술 문화를 짐작할 수 있겠다. 조선의 술 종류로는 고려 때의 청주, 탁주, 소주 세 가지가 이어지며 전통주로 자리매김을 하고 있었는데 빚는 방법은 지방마다 기술이 다양하며 관련 참고자료도 풍부하다.

『고사촬요(攷事撮要)』: 1554년, 『음식디미방(閨壼是議方』:1670년『주방문(酒方文)』 등이 1600년(이상희의 『한국의 술문화』에 수록되어 있다.

위의 문헌 중에는 술을 빚는 방법이 매우 상세하게 기록되어있으며, 전문가에 의하면 오늘날 그대로 빚어도 문제가 없을 정도라고 한다. 이는 고려 시대부터 빚어 온 청주와 탁주, 소주의 틀을 기본으로 하며 여기에 약재나 식물, 꽃의 향이 시기를 따라 첨가되었을 뿐이기 때문이다. 술은 점차 한양을 통해 지방으로 발전하여 지방주가 그 위세를 떨치게 되었는데, 서울의 약산춘(藥山春), 여산의 호산춘(壺山春), 충청의 노산춘(魯山春), 평안의 벽향주(碧香酒), 김천의 청명주(淸明酒) 등이 있으며 소주에는 각종 약재를 응용하여 만들기도 하였다. 그중 황해도의 이강주(梨薑酒), 전라도의 죽력고(竹瀝膏)가 유명하였다. 그 외에 일본과 중국에서 들여온 외래주도 있었는데 천축주(天竺酒), 황주(黃酒), 계명주(鷄鳴酒), 금화주(金華酒), 가 그것이다.

하지만 고대 제천의식의 군무(群舞)놀이 에서부터 공식화되었던 술 문화는 조선 후기 영조 대에 이르며 강력한 금주령에 의해 주춤하게 된다.

금주령은 태조 대부터 지속되어 그 횟수가 108회로 조선왕조 내내 금주령이 시행되었다고 볼 수 있다. 주금(酒禁) 정책을 실행하는 이유로는 흉년에 곡식을 절용하고 물가 안정이나 풍습을 교화하기 위해서이다. 사실 조선조엔 농업이 조세나 궁중 경제를 이끄는 주된 사업이었다. 하지만 임진왜란과 병자호란 등의 양난을 겪으며 조선의 온 국토는 초토화되었고 황토로 변한 땅에서는 곡식을 생산할 수가 없었다. 결국에는 두 번의 전쟁을 겪으면서 백성은 늘 굶주리거나 참혹한 삶을 살아야만 했다. 이러한 시기에 쌀이나 밀로 술을 담근다는 것은 매우 사치스러운 일로 여겨질 뿐이다. 금주령은 조선 초기 태종, 세종, 성종 대에 빈도가 높았고 조선 후기에 오면서 영조의 재임 중에는 시행되지 않은 시기가 없을 정도였다. 그러함에도 불구하고 양반들이 술을 즐겨하였는데 이는 구속력이 약하고 지속되지 않음에 있었을 것이다. 그렇다면 영 · 정조 임금 연간의 술에 대해서 좀 더 자세하게 살펴보자.

2. 영조와 정조의 술에 대한 정책

1) 영조시대

영조는 노·소론의 대립으로 고변과 옥사가 반복되는 정치적 혼란 과정 가운데 왕위에 올랐다. 즉위 초반 승계의 명분과 정치적 기반이 약했던 영조는 노론 사대 신임사화 (김창집·이이명·이건명·조태채 등으로 신임 옥사때 화를 당한 인물들이 영조 연간에 정치적 처분을 통해 신원 되어 사충서원에 제향 되었다.)에 대한 처분으로 정치적 입지를 다지며 시작하였다. 『승정원일기』에는 1726년(영조2) 경종의 삼 년 상제를 마친 후 영조는 자신의 첫 정사로 붕당(朋黨)·사치(奢侈)·숭음(崇飮) 등 '삼조지계(三條之戒)'를 천명하였다는 기록이 보인다. 이 세 가지는 조선의 국정을 운영하는 데에 있어서 큰 걸림돌로서, 이를 곁에서 지켜본 영조로서는 우선적 해결 과제였을 것이다. 특히 숭음, 곧 '음주는 사람의 착한 본성을 혼탁하게 하니 광약(狂藥)이라고 치부하고 강경하게 경계하였다'고 기록되어 있다. 영조가 집권 전반에 걸쳐 시행한 주금 정책을 보아도 그 결의가 어느 정도인지 짐작할 수 있다. 하지만 그러한 영조도 제사(祭酒)에 사용하는 술과 전쟁, 등 변란(變亂) 후 민심 수습 문제 등에는 예외를 두어 제례와 구병(救病)을 위한 최소한의 술은(用酒) 사용할 수 있게 하였다. 영조는 즉위 2년 10월에 붕당과 사치 그리고 금주에 대한 조목을 내린다. 1755년(영조 31)에는 제사에 사용되는 술을 예주(醴酒=甘酒)로 대체하면서 술을 전면적으로 통제하는 주금령'(酒禁令)'을 반포하였는데"위에서는 왕공에서부터 아래로는 서민에게 이르기까지 제사의 연례에는 예주(禮酒)만 쓰고 홍로(紅露)·백로(白露)와 기타 술이라 이름한 것은 모두 엄히 금하고 범한 자는 중히 다스리겠다"하였다.(이상희 『한국의 술문화』) 영조는 1724년에 즉위하여 1776년, 왕위에 있는 53년 동안 거의 일관된 주금 정책을 유지하였다. 그러나 이를 위반하는 사람은 끊임없어 줄어들지 않았다. 어긴 사람은 귀양을 보내거나 암행어사를 보내어 정탐하게 하였는데 당시 우리가 익히 알고 있는 박문수는 이를 충실하게 수행한 인물이다. 그리고 일벌백계의 취지 차원에서 효시형(梟示形: 효수하여 사거리에 전시)을 내리는 강력한 처벌정책을 펴

기도 했다. 이러한 강경한 정책은 후에 어느 정도 완화되기도 하였다. 하지만 영조 집권 말기까지 술 빚는자(釀酒者), 음주자(飮酒者) 등에 대한 처벌 규정은 유지가 되었다. 그리고 종묘에조차 제주(祭酒)대신 단술을 사용하게 하여 금주의 의지를 보여주는 한편, 고된 농사일이나 군사훈련을 하는 사람들에게는 탁주를 허용하여 술의 효용의 가치를 적절하게 안배하였음은 흥미로운 사실이다. 다음은 영조가 금주 정책에 매우 큰 비중을 두었음을 짐작하게 하는 대목이다.

> "만약 표적이 없으면 쏘는 사람이 없게 되고 길이 없으면 가는 사람이 없게 된다. 마치 술을 빚는 사람이 없으면 구해 마실 곳이 없는 것과 같다. 술을 빚는 것은 팔거나 마시는 자들과 같이 나의 법을 범하는 것이다. 장사하는 법은 여러 가지인데 무슨 까닭으로 편한 것은 버리고 험한 것을 취하는가? 이로 볼 것 같으면 술을 빚는 자는 마시는 사람과 다를 것이 없다. 제사를 드리는 막중한 것에도 단술을 써서 술을 금하게 하였으니 나라의 흥망이 오직 금주가 행해지느냐 못 하냐에 달려 있다. 너희들이 이를 지키지 않아 나라의 법이 되지 못하는 것, 이것이 진실로 흥망에 관계되는 것이다. 궁중의 의식에서부터 오늘을 시작으로 하여 아침저녁 상식(上食)때에 낮에 올리는 (茶禮)의 예에 따라 차로 단술을 대신하게 하라, 내가 특히 대궐의 정문에 나가 마음을 열어 효유 하노니 모두 이 타이름에 귀를 기울이라."(『영조실록』권10)

하지만 백성이 술을 쉽게 끊지 못함을 보고 급기야 1762년(영조38

년) 9월에는 위반자를 사형하고 『어제경민음』을 한글로 지어 반포한다. 영조 년 간에 한글로 지어진 글은 없었다. 하지만 모든 백성이 이를 지키기를 원하여 한글로 글을 작성한 듯하다. 그 내용은 이러하다.

> 심하다 술이여 심하다 술이여, 백성이 종되기를 돌아보지 않고 형장에 머리 달리기를 두려워하지 않으니 그 어떤 마음이며 그 어떤 마음인가, 이를 끝까지 금하지 못하면 다른 날 조종께 절할 낯이 없고, 오늘 백성을 살게 할 도리가 없으므로 이같이 여러 번 말한다. 『어제경민음』

도대체 술이 무엇이길래 형장에 머리가 달려도 두려워하지를 않는 것인지, 그렇다고 이를 용납하면 훗날 선왕들에게 면목이 없고 백성의 안정을 기약할 수 없어 강력한 금주를 시행할 따름이라며 그 애로점을 호소하니 절절하다. 다음 내용은 사형당하는 자식을 보며 안타까움에 울부짖는 부모의 모습을 자세히 묘사하여 금주할 것을 호소하고 있다.

> 모든 사람이 있는 가운데 세 번 회시(回示-죄인을 끌고 다니며 보임)할 때 부모 형제는 발을 굴러 부르짖고 높은 대에 머리를 달아맨 후에는 반드시 소리를 참고 땅에 엎어진다. …… 오호라 희미한 달과 흐린 구름이 쓸쓸한 바람에 소슬하니 정형을 받아 죽은 넋은 제 부모와 처자를 부르며 내 어찌 금주령을 범하여 이 지경에 이르렀는가. 『어제경민음』

글을 읽는 백성들은 아무리 술을 좋아하고 강심장을 지녔다 하여도 두려움에 차마 술을 가까이하기가 힘들었을 것이다. 영조의 마음은 술을 마시는 이가 한 사람도 없을 때까지 금주 정책을 유지하고자 하였다.

『영조실록』에는 금주령이 50회 이상 발령된 것이라는 기록이 있다. 이는 재위 기간 내내라고 볼 수 있다. 하지만 그 효과 면에서는 만족할 만한 성과라고 할 수가 없다. 전면적인 주금령을 자제할 수밖에 없었는데, 그 이유로 첫째는 종묘제례에 현주(냉수)를 사용하고 술을 생략할 수 없음이다. 이에 대한 대비책으로 영조는 1767년(영조48)에 제례·연회·헌수 등에 예주를 권장하고 제례 이외는 양주와 음주를 일체 금하는 주금령을 반포했다. 둘째는 백성의 제례 역시 술이 필요하므로 매주(賣酒)를 완전하게 금지할 수 없기 때문이다. 당시 형편이 나은 사대부가에서는 술을 담가 제례에 사용하였으나 일반 백성에게는 쉽지 않은 일이었다. 세 번째는 술을 팔아 생계를 유지하던 백성들의 동요 때문이다. 따라서 이러한 영조의 주금 정책은 집권 말년까지 완화와 강경의 칙령이 반복되었다. 발령된 금주령에 비해 성과는 미비하였으나 영조의 백성을 위한 걱정에서 나온 강한 의지는 충분히 읽을 수 있다.

여기서 술이라는 음식의 특수성을 고려해 보지 않을 수 없다. 술은 결코 한두 마디로 단정 지을 수 없는 효능을 가지고 있다. 국가 간의 교역을 원활하게 성사하게 시키는 역활을 하며 양반과 상민을 구분할 필요가 없다. 일상의 희 · 노 · 애 · 락에서 모두 필요한 음식이고 특히 인간관계 맺기에서 술의 효과는 놀라울 정도이다. 또한 노동을 수월하게 하는 기능을 지녔으며, 조상을 추모하고 상과 벌의 결과를 극대화하는 효능을 가지고 있다. 그리고 궁중에서 개최되는 연회와 관료들이 공사(公私)로 개최하는 연회 혹은 일반 민간에서 민속의 일한으로 개최하는 연회 등 모두에는 술과 음악이 제외되지 않는다. 이렇게 죽은 사람과 살아 숨 쉬는 사람 모두에게 중요한 음식이고 보니 술은 결국 조금 과장하여 인간사를 좌우한다고 인정하지 않을 수 없는 것이다. 이는 시대의 변천과 관계없이 현대에 이르러서도 그 순·역기능이 얼마나 넘쳐나는가? 따라서 역대 왕조의 금주령은, 지속성이나 구속력이 한계에 부딪기가 일상이었을 것이다. 궁중에서 이루어지는 예연(禮宴)의 기록에 의하면 행사에 따라서 여러형태의 의식이 있는데 연회 대부분이 엄격한 절차에 따라 거행되며 술의 등장은 예외가 없다. 국가의 경사로 인해 열리는 진연(進宴), 진찬(進饌) 등이 있으며, 여기에 올리는 술을 진작(進爵)이라고 한다. 『조선왕조실록』이나 『국조오례의(國朝五禮儀)』와 의궤(儀軌) 등에서 확인할 수 있다.(이상희, 『한국의 술문화』) 그 외, 왕의 외교활동은 '사대교린(事大交隣)'의 노선을 따라 이루어졌다. 중국 북경 중앙 민족 대학교의 도서관에는 청나라 한림원 학사 이극돈(1685~1756)이 제작한 「봉사도(奉仕圖」가 소장되어 있다. 그림의 내용은 영조1년(1725) 3월 17일 청나라 사신단이 조선을 다녀갔는데 당시 조선 왕실의 행사와 행렬 중에 보았던 풍경 등, 20폭의 화첩으로 그 해 6월 완성한 그림이다. 그중에는 조정에서 청의 사신을 접대하는 모습을 그린 그림이 있다. 이러한 자리에는 부득이 술과 음악이 배제될 수 없는 것으로 그림 속에는 영조와 청나라 사신 두 명에게 각각 꽃을 올리고 있고 마루 가운데에는 두 사람의 무동이 춤을 추고 있다. 당시의 장면을 묘사한 이극돈의 시를 보자.

산해진미가 차려졌고 화려한 대자리는 넓게 깔려 있는데. 海珍山果敞華筵
병풍처럼 펼쳐진 면면마다 아름답구나. 面面展開族族鮮
술 한 잔 올리고는 꽃 한 송이 바치네. 酒上一杯花一獻
그 벼슬아치가 물러나자 악인들이 나오고. 吏人纔退樂人前
유연하고 조화로운 몇 곡조는 조선의 노래일세 悠揚幾曲度夷歌

쌍쌍을 이룬 무동의 옷소매는 가락에 맞춰 조화롭네 舞袖雙雙按節和
안타깝구나! 연회는 끝나고 부질없이 한 잔 술에 취하니 可惜筵前空一醉
그 음을 알지 못하여 사람을 부끄럽게 만드는구나. 不知音處負人多

시를 통해서 연회의 전경을 어렵지 않게 떠올릴 수가 있다. 신하가 술과 꽃을 올리고 물러나면 악인들이 나와 음악 연주를 한다. 곡은 청나라와 조선의 음악으로 이루어 진듯하다. 시에서 이극돈이 연주되는 곡을 모르는 것에 대해서 부끄럽다고 표현하였다. 평소에 그가 음악에 조예가 깊음을 짐작할 수 있는 대목이다.

그렇다면 정작 잦은 금주령을 선포했던 영조임금 본인의 음주 습관은 어떠하였을까? 실록의 관련 내용에 영조는 수시로 은밀하게 술을 마셨다는 기록이 있다. 말년에는 다리병(脚氣病)의 고통을 완화 시키기 위해 신하 가운데 장령(掌令) 홍성의 추천으로 인하여 만들어 마셨다는 송다(松茶) 혹은 송절차(松節茶)의 기록이 나온다. 부르기는 차라 하였으나 이는 누룩과 솔잎을 넣어 만든 것이니 실상은 알코올이 함유된 술이라

할 수 있다. 『승정원일기』에는 영조가 치세 중에 이를 음용했다는 기사가 140회에 이른다. 금주령을 수시로 선포하는 영조로서 '송절차'가 병의 치료를 목적으로 한다고 하였으나 누룩을 넣어 빚어 취기를 일으키는 것이니 주위를 의식하지 않을 수 없었을 것이다. 『승정원일기』에는 엄연히 '양주(釀酒)라고 기록이 되어 있다. 차를 음용 후 두 달 뒤에 영조는 홍성에게 "참지(參知)의 아비가 송절차로 효과를 보았다고 하는데, 처방문은 어디서 배웠는가?"라고 묻자 홍성은 "별도로 배운 곳은 없고 송절차는 으레 다리에 쓰는 약입니다."라고 답했다는 내용이 보인다. 당시 '금주령'을 내린 상황이 고려된 대화임을 짐작할 수 있다. 영조 48년에 영의정 홍봉한을 탄핵하는 김관주의 상소에는 "주상께서 술을 드시지 않아도 오히려 격노하심이 자주 일어나 신하들이 두려워하며 날을 보내고 있음이 걱정되는데, 이제 송차(松茶)를 복용하면 우리가 장차 어떻게 지탱해 감당하겠는가?"(『영조실록』, 119권, 1772년 7월21일.)라는 내용이 보이고, 또한 1755에 일어난 괘서사건(『영조실록』, 83권, 1755년 3월 6일. 30년 가까이 유배를 가 있던 윤지는 남인과 준소를 중심으로 불만 세력들을 규합하고 나주 목사들과 모의하여 나주 객사에 국왕을 비방하는 괘서를 붙이지만 거사를 채 일으키기도 전에 적발되어 영조는 친히 윤지를 친국하고 관련자들을 효수하라고 명였다.)으로 친히 윤지를 친국하고 효시하는 과정에서 분노를 참기 어려워 음주를 하였다는 내용도 보인다. 실록에는 영조가 '분노하여 술을 드시고 대취(大醉)하여 아예 벌렁 누웠다'라는 기록이 있다. 영조 후기에 이르러 강경한 주금 정책은 다소 완화되었다. 영조에 이어 왕위에 오른 정조는 할아버지인 영조와 주금에 대한 의견을 달리하고 오히려 '음주'를 통해 군신 간의 화합이나 우의를 다지는 매개체로 적절하게 운영하였다.

2) 정조의 숭음(崇飮) 정책

영조와 달리 정조는 고강도의 금주 정책에 반대하였는데 그 효과가 크지 않다고 판단하였기 때문이다. 오히려 주금령이 백성의 동요를 부추기고 백성을 편히 하는데 방해될 뿐 아니라 금령(禁令)의 잦은 발령은 법에 대한 신뢰를 잃게 한다고 판단하였다. 그리고 주금령 공표나 이전에 제정된 주금 관련 법률을 거의 폐기하였다. 정조의 일기 글인 『일성록』에는 1782년(정조 6) 좌의정 홍낙성이 흉년에 곡식의 낭비를 줄이기 위해 대양매매(술도매)자를 각별하게 엄금하자고 건의했다. 하지만 정조는 대양(도매大釀)을 금지하더라도 소양(소매)의 곡식 소비가 여전해서 큰 효과가 없을 뿐만 아니라, 도리어 백성을 성가시게 한다며 허락하지 않았다는 기록이 있다. 즉 정조는 강력한 주금령이 곡식의 낭비를 줄이기에 효과가 있다는 것은 타당하나 흉년의 급선무는 백성을 혼동하지 않게 함이 더욱 중요함을 강조하였다. 그뿐 아니라 적절한 음주를 매개로 하여 군신 간의 화합을 도모하였다. 다음 실록의 기록은 정조 15년(1791) 3월 의종황제(중국 명나라 제16대 황제) 기일에 망배례(望拜禮) : 조선 시대 올리던 국가의 기념일 혹은 황제의 기일 등 기념일에 먼 곳에서 절을 올리며 지냈던 의례(조선은 '명나라에 대한 의리' 표출의 한 방법으로 황제의 기일을 지켰다.)를 올리며 군신 간의 화합을 다지는 부분이다. 당일 제례를 마치고 정조는 날씨가 매우 좋음을 언급하며 신하들과 함께 꽃 구경할 것을 권하여 세심대〈洗心臺: 선희궁 북쪽 인왕산 아래 약 100보가량 되는 곳에 있다. 필운대(弼雲臺)와 서로 마주하고 있는 세심대는 정조에게 매우 의미심장한 장소이다. 『일성록』 정조 19년 3월 7일 기사(한국고전종합DB)〉에 올랐다. 정조는 궁궐과 인접한 세심대에 나가 신하들과 꽃구경을 즐겼는데, 실록에 그 기록이 여러 차례에 보이니'세심대' 놀이는 정조가 특히나 즐겨한 놀이임을 알 수 있다. 기록에 의하면 그 순서는 대체로 비슷한 경로로 진행된다. 당시 정조를 따른 신하 중에 연로한 신하가 몇 명이 있어 정조는 이를 위로하고 술과 밥을 하사하였다. 그리고 승지 이만수(李晩秀)를 불러 받아쓰도록 명하며 시 한 수를 짓고 신하들에게 화답 시를 짓도록 하였다.

다음은 정조가 지은 시의 내용이다.

꽃피는 봄의 계절 한가한 날에 / 暇日芳春節(가일방춘절)
세심대 올라 세속의 소란함을 씻노니 / 心臺洗俗喧(심대세속훤)
두 산은 참으로 문이 하나로 나 있고 / 兩山眞一戶(양산진일호)
수많은 숲은 또한 동산을 같이했네 / 千樹亦同園(천수역동원)
곱디고운 하늘빛은 깨끗하기만 하고 / 艶艶天光靚(염염천광정)
오르고 오르니 땅의 형세는 높기도 하여라 / 登登地勢尊(등등지세존)
앉은 자리에는 백발노인이 많으니 / 座間多皓髮(좌간다호발)
내년에도 오늘같이 술잔을 들자꾸나 / 來歲又今樽(래세우금준)

시를 짓고 난 정조는 다음과 같이 시내용을 설명하였다.

> 나는 사율(詞律)에 마음을 두고 싶지 않고 지금 짧은 시간에 우연히 입에서 나오는 대로 지어 보았는데 작품이 원만하지 못하다. 경들은 모두 연찬(硏鑽)한 공부가 있는 사람들이니 반드시 잘 짓도록 하라. 아래 구절의 '앉은 자리에는 백발노인이 많다.'라고 한 것은 바로 공판(工判) 이민보가 75세이고, 예판(禮判) 정창순(鄭昌順)과 판돈녕(判敦寧) 이예년(李澧年)이 모두 65세여서 그리 말한 것이다. 경들은 과연 이미 이해하였는가?

정조는 시를 급하게 지어 원만하지 못함을 먼저 밝힌 후에 나이 많은 신하들을 위로하며 순서대로 모두 시를 지어 올리되 차가 끓기 전에 자신이 지은 시를 이어서 지어 올릴 것을 명령하였다. 여러 신하가 차례대로 정조의 시를 이어 지으면 승지는 기록을 하였으며 때맞추어 시를 짓지 못하면 다음 순으로 넘어가거나 정조의 벌주를 감수해야 했다. 연회의 순서는 대체로 비슷하게 진행되었다. 좀 더 구체적으로 들어가 보자

3. 정조와 술 '불취불귀(不醉不歸)'

1) 술의 종류

조선 시대의 술은 발효주와 증류주로 크게 나눌 수 있다. 그중에서

정조가 즐겨 마시던 술은 '삼해주(三亥酒)'이다. 〈삼해주(三亥酒) : 삼해주는 그 이름에서 알 수 있듯, 해일(亥日)에 3회(三回)에 걸쳐 술을 빚는다는 뜻이다. 12지(十二支) 가운데 맨 끝에 오는 돼지날(해일:亥日)에 처음 술(밑술)을 빚기 시작하여 12일 간격이나 36일 간격으로 돌아오는 다음 해일에 덧술을 하고, 다시 돌아오는 해일에 세 번째 술을 해 넣는 까닭에 술이 익기까지는 최소 36일에서 96일이 걸리는 장기 발효주이다. (한국의 전통명주 1 : 다시 쓰는 주방문, 2005. 8. 10., 박록담)〉 삼해주는 발효주로서 조선왕조실록에 유일하게 나오는 술 이름이다. 하지만 삼해주는 빚는데 들어가는 쌀의 소비가 많아 이를 금지해 달라는 상소가 수시로 있었으나 정조는 이미 술이 익었으므로 어찌할 수 없다고 답을 하였다.

> 금년과 같은 농사 상황에서 곡식을 허비하는 해로는 술보다 더한 것이 없습니다. 이제 금령을 설치한다면 조그만 보탬이 될 것입니다.
> 정조왈 : 삼해주가 이미 다 익었는데 이왕에 만든 술을 모두 버려야 할 것이냐.

위의 내용은 술에 대한 정조의 호감도를 나타낸다.

다산 정약용의 문집에는 서울 조정일을 보던 시절, 임금에게 하사받은 술 이야기가 몇 번 나온다. 다음 내용은 강진 유배 중 둘째 아들이 폐족임을 한탄하여 음주에 빠져 지낸다는 말을 전해 듣고 이를 경계하며 보낸 편지글이다.

> 나는 태어난 이래 아직까지 크게 술을 마셔 본 적이 없어, 나 자신의 주량을 알지 못한다. 포의(布衣)로 있을 때 중희당(重熙堂)에서 삼중소주(三重燒酒)를 옥필통(玉筆筒)에 가득히 부어서 하사하시기에 사양하지 못하고 마시면서 '나는 오늘 죽었구나.'라고 마음속에 혼자 생각했었는데, 몹시 취하지 않았었다. 또 춘당대(春塘臺)에서 임금님을 모시고 고권(考券)할 때에 맛있는 술을 큰 사발로 한 그릇 하사받았는데, 그때 다른 학사들은 크게 취하여 인사불성이 되었다. 그리하여 어떤 이는 남쪽으로 향하여 절을 올리기도 하고 어떤 이는 연석(筵席)에 엎어지고 누워 있고 하였지만, 나는 시권(試券)을 다 읽고, 착오 없이 과차(科次)도 정한 후 물러날 즘에야 약간 취했을 뿐이었다. 또한 너희들은 내가 술을 반 잔 이상 마시는 것을 본 적이 있느냐. 참으로 술맛이란 입술을 적시는 데 있는 것이다. 소가 물을 마시듯 마시는 저 사람들은 입술이나 혀는 적시지도 않고 곧바로 목구멍으로 넘어가니 무슨 맛이 있겠느냐. 술의 정취는 살짝 취하는 데 있는 것이다. 저 얼굴빛이 주귀(朱鬼)와 같고 구토를 해대고 잠에 곯아떨어지는 자들이야 무슨 정취가 있겠느냐. 요컨대 술 마시기를 좋아하는 자들은 대부분 폭사(暴死)하게 된다. 술독이 오장육부에 스며들어 하루아침에 썩기 시작하면 온몸이 무너지고 만다. 이것이 크게 두려워할 만한 점이다."(『여유당전서』, 시문집 21권)

윗글에서 보이는'삼중소주(三重燒酒)'는 삼해주(三亥酒)임을 알 수 있는데 그 농도는 35% 정도이다. 이는 저온에서 장기간 발효하여 숙성을 시킨 때문이다. 정약용의 표현대로 술을 임금에게 받아마신 신하들이 크게 취하여 인사불성이 될 정도라 하니 술의 농도 짙음을 알 수 있는 한편 당시 정약용의 음주량을 가늠해 볼 수 있는 대목이다. 또한 정약용의 문집에는 성균관에 들어간 20대에 정조 임금으로부터 '『병학통』 책과 큰 사발에 담긴 계당주(桂糖酒)를 마시고 술에 취해 비틀거리며 물러 나왔다'(『여유당전서』 '시문집')는 기록도 있다. 정조대의 다양한 술에 대함을 엿볼 수 있는 부분이다.

2) 정조의 궁원유락(宮園遊樂) 실태

정조의 술과 관련한 내용은 개최된 각종 연회의 기록에서도 확인할 수 있다.

첫째 '상화조어연(賞花釣魚宴)'은 정조 이전의 역대 왕들도 베플던 어연(御宴)이다. 『동각잡기』「15」에는 1540년(중종 35) 3월에 '상화연'을 열어 경희루 에서 신하들과 무예 연습을 관람하고 시 짓기와 후원 꽃구경을 하였으며 술을 하사하여 모두 취하여 나왔다는 기록이 있다. 영조 5년(1729) 정월에도 대궐 뜰에서 잔치를 차려 술과 음악을 내리고 참여한 사람에게는 각기 납촉(蠟燭) 한 자루씩을 주고 밤이 깊도록 놀다 파하였다 등의 기록들이 있다. 이는 조선 말기 고종 시대까지 이어졌다. 하지만 정조는 역대의 왕들과 달리 이에 대해 규장각을 위한 연회로 규례를 정하고 정례화 하였다. (5회) 규장각은 정조가 즉위 후 개혁정치와 왕권 강화를 위한 상징적인 핵심기구로 삼은 것이다. 그뿐만 아니라 정조는 규장각을 통해 학문의 중추 기관으로서의 핵심 역할을 맡도록 하였으며 이를 위해 초계문신제도를 회복 별도로 선정하여 37세부터 40세까지 기간을 두어 강도 높은 학문적 훈련을 병행하였다. 실록에는'3월과 9월 한가한 날을 정하여 봄, 가을로 유락을 하되 기일전에 초기(草記)를 올리게 하고 취하여 유지(有旨)를 얻은후 유하정(流霞亭)으로 나아간다.'(『정조실록』5년 2월 13일)라는 기록이 보인다. 정약용 문집에는 정조 19년(1795) 봄에 있던'상화조어연'이야기가 나온다. 당시 정약용은 규영부(奎瀛府) 찬서(撰書)로 있었고 참석 인원은 10여명 이었다.

> 상께서 여러 신하를 둘러보시며'내가 유희 삼아 즐겁게 놀려는 것이 아니며, 신하들과 함께 즐기면서 마음을 서로 통하게 하여 천지의 조화에 응하려 함'임을 밝혔다. 술과 잔치상을 물리치고 부용정으로 옮겨 낚싯대를 드리우며 고기를 잡으면 놓아주고를 반복하였다. 그리고 배를 띄워 시를 지었는데 정해진 시간에 시를 짓지 못하면 연못 가운데 섬에 안치시켰다가 풀어주고는 하였다. 술과 음식을 위해 배가 부르도록 먹었다는 기록이 있다.'임금과 신하의 관계가 높은 하늘과 낮은 땅만큼의 차이가 있는데 중략… 음식을 내려 주고 즐거운 낯빛으로 대해 주어서 그 친근함이 마치 한 집안의 부자(父子) 사이와 같았으며, 엄하고 강한 위풍을 짓지 않았다. 그러므로 여러 신하가 각기 말하고자 하는 것을 숨김없이 모두 아뢰니, 혹 백성들의 고통과 답답한 사정이 있어도 모두 환하게 들을 수 있으며, 경(經)을 말하고 시(詩)를 이야기하는 자도 의구(疑懼)하는 마음이 없어 그 질정하고 해석하는 데에 성실을 다할 수 있었다.

아, 이것이 이른바 군자의 도가 생장하고 소인의 도가 소멸하는 것이 아니겠는가.(『여유당전서』, 시문집, 14권 '記')

위의 내용으로 보면 상화조어연(賞花釣魚宴)의 행사는 규장각에서 주체하되 규장각의 신하들로 제한했음을 알 수 있다. 때로는 각신의 가족 참석을 허락하기도 하였는데 이는 각신 에게 갖는 기대와 애정이 어느 정도 인지를 확인할 수 있는 부분이다. 후에 정약용은 이러한 정조의 차별된 행위에 대해서 비난하는 글을 쓰기도 하였다. 상화조어연은 정조 21년(1797) 우의정을 지낸 윤시동의 사망을 계기로 연기되었으며 그 뒤 다시 열리지 못하였다. 5회에 걸쳐 열렸을 뿐이다.

둘째, '세심대(洗心臺)놀이' 정조의 비극적인 개인사를 바탕으로 하였다. (4회) 정조는 일곱 살 때(영조 35년, 1759) 세손 책봉되고 열 살에 부친 사도세자의 비극적인 모습을 목격한다. 그 뒤 이십 오세 즉위하기까지 긴 기간을 당쟁으로 불안한 정치 상황과 부친의 죽음에 대한 충격을 견디는 세월을 지냈다. 정조는 평소 담배와 술을 즐겨 하였는데 그의 삶의 과정에서 이해가 수반되는 종목이라고 할 수 있다. 세심대는 특히 정조에게 의미 있는 장소이다. 정조의 부친 이선(후에 사도세자)이 태어났을때 영조는 필운대에 대신들을 불러 축하의 자리를 가졌는데 당시 박문수가 시를 지어 축하하였다. 또한 세심대 부근에는 사도세자의 생모인 영빈이씨의 신주를 봉안한 선희궁과 사도세자의 사당인 경모궁이 자리하고 있다. 정조에겐 애틋하고 그리운 장소가 될 수밖에 없다. 정조의 일기인 『일득록』에는 '세심대'로 장소를 정한 이유가 나온다.

> 세심대를 설치한 것은 내가 나름대로 깊은 뜻이 있어서이다. 작년 묘당(廟堂)을 세울 때 처음에는 여기에 터를 봐 두었는데, 마침 다른 의견이 있어 다른 곳으로 옮겨 정했으니 바로 지금의 경모궁이다. 지금 살펴보건대, 국세(局勢)가 천연적으로 이루어지고 밝게 툭 트여 길하고 복 받은 터임을 알 수 있으니, 어찌 하늘의 뜻이 아니겠는가. 그러나 내가 세심대에 관하여 처음에 헤아리고 의논한 것이 있었던 까닭으로 차마 등한히 여겨 포기할 수 없었다. 그래서 매년 한 번씩 가서 내가 땅을 따라 사모함을 일으키는 뜻을 부치기로 기약하였다.

첫 번째 세심대 놀이는 정조 15년(1791) 3월 17일에 있었다. 『정조실록』의 이날 기록에는,

> 상이 근신들과 함께 세심대에 올라 잠시 쉬면서 술과 음식을 내렸다. 상이 오언근체시 1수를 짓고 여러 신하에게 화답하는 시를 짓도록 하였다. 이어 좌우의 신하들에게 이르기를, … 내가 선희궁을 배알 할 때마다 늘 이 누대에 오르는데, 이는 아버지를 여읜 나의 애통한 마음을 달래기 위해서이다.

정조의'세심대'모임은 4회에 걸쳐 진행되었다. 모임은 대체로 비슷한 순서로 진행이 되는데 옥류천을 거쳐 세심대를 지나 상화대에 장막을 치고 어좌를 설치하였다. 필운대와 종남산을 조망하고 왕이 시를 지으면 신하들이 이어서 시를 지으며 화답하였다. 그리고 그날 지은 시는

권축(卷軸)으로 만들어 신하들에게 나누어 주었다. 연회는 활쏘기나 꽃구경을 하고 고기를 구워 술과 함께 나누어 주었다. 역시 다산의 시 문집에 정조 19년(1795) 3월 7일에 열린 세심대 연회의'삼가어제 세심대 상화시를 화답하다(奉和聖製 洗心臺賞花)'가 기록되어있다.

셋째, 비가 내린 직후 맑은 물이 흘러넘치는 옥류천의'폭포구경'을 즐겼다.'상화조어연'이나'세심대 연회'가 봄철의 꽃이 화창함을 이용한 연회라면'폭포구경'은 여름철 궁원의 이야기이다. 지금의 창덕궁 후원은 정조의 재임 시절까지는 왕만의 쉼터였다. 하지만 정조는 이틀을 과감하게 허무는 계기를 갖게 되는데 정조의 어진을 그려준 강세황과의 사이에 있던 내용이다. 강세황은 단원 김홍도의 스승으로 시서화(詩書畵) 삼절(三絶)이라 불렸다. 정조는 며칠 전 8월 26일, 강세황에게 어진을 그리게 하고, 9월 1일 완성한 초상화를 규장각에 봉안하게 하였다. 국왕으로 즉위하고 나서 첫 어진이었기에 정조의 기쁨은 남달랐을 것이다. 이틀 후인 9월 3일에 어진을 친히 관람하고 더불어 규장각에 근무하는 강세황도 보기 위해 규장각을 찾았다. 정조는 얼마 전 읽은 책의 문구를 병풍으로 만들어 자신의 서재에 두고 싶다며 그 글귀를 강세황이 직접 써 주기를 부탁한다. 그러면서 더욱 당황스럽게도, 글씨를 쓴 후 놀 것인지 놀고 나서 글씨를 쓸 것인지를 물어본다. 평소 학문 연구와 정치적 토론을 무엇보다 중요하게 여기는 국왕인지라 강세황은 대답을 머뭇거렸다. 그런 강세황에게 글씨는 후에 쓰자며 규장각에 있는 모든 신하를 데리고 앞장서서 걸어간 곳은 놀랍게도 옥류천 계곡이었다. 어진을 그려준 강세황과 당시 격무 중에 있던 규장각 신하들의 노고에 대한 위로를 염두에 둔 배려였음을 알 수 있다. 술이 빠지지 않았음은 당연하며 정조에게 있어서 술은 군신의 화합에서 빠뜨릴 수 없는 소재였다.

그 외에도 '雪中용호회'를 열어 무신들을 위로하였다. (7회) 항상 겨울에 열린 이 행사에서 참석자들은 각자 쇠 꼬치에 꿩을 꿰어 구워서 술과 함께 먹었다. 이렇게 정조는 늘 술과 음악을 베풀어 군신의 고락지정(苦樂之情)을 강조하였다.

다섯째, 겨울철에 난로회를 열거나 난로회의 고사에 따라 술과 음식을 내려 문신들의 노고를 위로하였다.

여섯째, 활쏘기에 능한 정조가 궁중의례인 燕射禮를 복원하고자 하여 두 차례의 연사례를 열었다.

일곱째, 바쁜 일상에서 벗어나 후원에서 조촐한 연회를 열기도 하였다.

여덟째, 궁원에서 '군신동락'을 도모, 측근, 특히 규장각 초계 신료들과 연회를 자주 열었다.

3) 불취불귀

'불취불귀(不醉不歸)'란 글귀는 정조의 효심(孝心)을 상징하는 도시인 수원 화성 축성 당시 기술자들을 격려하기 위해 베푼 회식 자리에서 정조가 했다는 건배사로 '불취불귀(不醉不歸: 취하지 않으면 돌아갈 수 없다)라는 뜻으로 팔달문 시장 앞 좌상에 새겨져 있다.

정조에게 술이란 '마시고 취하는 것이 자연스러운 일'이다. 어느날 인가는 성균관 제술 시험에 합격한 유생들을 불러 창덕궁 희정당에서 연회를 베풀었다. 정조는"옛사람의 말에 술로 취하게 한 후 그 사람의 덕을 살펴본다고 하였다. 너희들은 모름지기 취하지 않으면 돌아가지 않는다는 뜻을 생각하고 각자 양껏 마셔라."라고 하였다. (1792년: 정조 16년3월 2일)이 말은 정조가 『장자』「열어구(列禦寇)」에 사람을 알아보는 방법 아홉 가지가 있는데"술에 취하게 해서 그 사람의 위의(威儀)를 살펴본다."라는 내용을 인용하였음을 말해준다. 정조 자신이 술을 유난하게 좋아하기도 하였으나 정조가 옛말을 인용까지 하며 술을 권함은 간단하게 생각할 일은 아니다.

정조는 부친인 사도세자의 처참한 죽음을 목격하였다. 그리고 여기에 참여하였던 인물들은 정조가 임금 자리에 오르는 것을 결사적으로 반대하였다. 또한 정조의 연간에는 암살에 대한 잦은 시도로 인해 정조는 새벽닭이 울기 전에 잠을 이루지 못했다 한다. 따라서 행사를 이유로 빈번하게 술을 강권하다시피 한 의중에는 위에서 말한 취중 언행에 따라서 사람을 구분하기 위함도 적잖은 이유로 볼 수 있을 것이다. 정조는 술을 통해 자기 사람을 가리는 방법으로 이용하였을 뿐 아니라 각 정당을 막론하고 편지글을 통하여 정국을 유리하게 이끌기도 하였다. 반대파라 할 수 있는 노론 벽파의 인물들과 여러 신하에게 어찰을 보내어 정사를 의논하여 절대적인 신임을 하고 있음을 의미하기도 하는데 노론 벽파의 영수인 심환지에게 보낸 어찰 297통은 한때 세간의 화제이기도 하였다. 그중 술에 대한 정조의 모습을 볼 수 있는 글이 있어 소개한다.

> 간밤에 잘 지냈는가? 나는 밤에 더워서 잠시도 눈을 붙이지 못하였다. 새벽이 되자마자 빗질하고 세수한 뒤 지금까지 수응(酬應-응대하여 대답 하는일)을 하고 있으니 얼마나 피곤한지 알 것이다. 껄껄 웃을 일이다. 여기 적어놓은 사람들은 이전부터 들어서 알고 있었지만 이제야 다시 살펴보고 적어 보낸다. 경의 뜻이라고 하면서 이조 판서와 상의하는 것이 어떠한가? 이것은 지극히 공정한 마음으로 하는 일이니, 코가 붙은 곳이야 내가 어찌 알겠는가? 껄껄...(백승호 외 7인역, 『정조어찰첩』)

위의 글은 1797년 7월 8일 심환지에게 보낸 정조의 어찰 내용이다. 내용은 심환지가 이동구(李東九), 김정주(金鼎柱), 이유문(李儒聞) 세 사람의 인적 사항을 상세하게 적어 보내고, 이조 판서와 의논하여 세 사람을 관직에 추천하도록 하였다. 하지만 내용이 밖으로 나갈 것을 경계하여"경의 뜻으로 하고 이조 판서와 상의하는 것이 어떠한가."라고 하여, 세 사람의 추천이 자신으로부터 비롯되었음을 숨기도록 하였다. 정조는 심환지뿐만 아니라 여러 신하에게 이러한 방법을 사용하여 정국을 유리하게 이끌어 가고자 하였다. 어떤 내용에 대해서는 상소를 올리라고 비밀리에 명하고 누군가는 상소를 올리지 못하게 충고를 하라고 시키기도 하는 등 용의주도한 방법으로 신하들을 이끌었다. 정조는 문신들과 자주 술자리를 하였는데 신하들이 취한 뒤 언행을 살펴 원, 근의 신하를 구별하였다. 술은 항시 마음의 긴장을 완화 시켜주는 작용이 있다. 정조는 이를 적절하게 이용하고 본인 스스로도 즐겼다. 위 편지글의 머리말에서는 간밤에 더워서 씻고 술을 마신 것이 새벽에까지 이르니 몹시 피곤하다며 능청스레 적고 있다. 여름밤이 더워 시원스레 샤워를 하고나니 술 한잔이 생각이 났을 것이다. 한 잔만 마시고 잠자리에 들려던 생각은 한잔이 열 잔을 불러 결국 늦게까지 마시다, 쉬지도 못하고 조정에 나가 업무를 시작하였음을 하소연하듯 투정한다. 그러면서도 전하고자 하는 뜻은 남김없이 전하고 있다. 술은 사람과 사람 사이의 관계를 맺기도 하고 끊어지게도 한다. 하지만 적절하게 음용을 한다면 어려운 관계를 부드럽게 이완시키고 서슬 퍼런 대적 관계조차 부드럽게 조정하는 기능을 가졌다. 지금까지 영조와 정조 임금의 술에 대한 이해와 정책을 살펴보았다. 조선의 역대 왕조 중 술의 정치를 가장 적절하게 펼쳤던 왕은, 금주하는 방법을 택하여 백성의 안민을 꾀하려 했던 영조와 본인 에게는 넉넉하고 원근의 신하들을 가려 정책을 펼쳤던 정조 임금이라고 할 수 있지 않을까? 지금 나의 음주는 어떠한 거리를 줄이고 있는가? 아니면 멀어지게 하는가?

| 참고문헌 |

고전번역원 db, 정조의 「일성록」

이상희, 『'술' 한국의술문화』

차인배, 「18~19세기 주금정책 추이와 주금형률제정」

박해모, 정지훈, 「『승정원일기』를 통해 살펴본 영조의 송절차복용에 관한 연구」

김준혁, 「조선시대 선비들의 탁주 이해와 음주문화」

I

『목은집』에 보이는 고려선비의 술 문화

이 은 영

이은영

성균관대학교 유학대학원에서 유교경전·한국사상을 전공하고 석사학위를 거쳐, 성균관대학교 유교철학과에서 철학박사학위를 취득하였다.

현재 성균관대학교 유교철학·문화콘텐츠 연구소 연구원, 덕산우리문화연구소 소장, 목은연구회 연구위원, 더나은세상을위한인문학연구원 이사, 경기북부차인연합회 사무국장, 호남선비문화원 강사로 활동하고 있다. 초·중·고교·향교·도서관·학습관 등의 교육기관에서 차(茶)와 인성함양, 사서(四書)강의 등 인문의 융합교육으로 차와 경전을 통한 '살만한 세상' 만들기에 힘쓰고 있다.

연구논문에는 「목은 이색의 군자관 연구」, 「목은 이색의 철학사상 연구」, 「목은 이색의 삼교관과 회통적 성격」 등이 있다.

『목은집』은 려말선초 대학자이자 사상가였던 목은 이색의 문집이다. 이색(李穡:1328~1396)의 호는 목은(牧隱), 자는 영숙(穎叔), 시호는 문정(文靖), 본관은 한산(韓山)이다. 목은은 부친(이곡李穀:1298~1351)의 권유로 20세에 원(元)나라 국자감 생원이 되었다. 이 때 송대 정주학(程朱學)은 물론 경사자집(經史子集)에 능통한 대학자로 명성을 떨치게 된다.

목은 선생은 성균관대사성·문하시중·지공거 등 여러 요직을 역임하면서 주로 인재 등용 및 교육진흥에 주력하였다. 그 결과 성명학(性命學)과 의리학(義理學)을 합치한 '성명의리지학'의 이론을 정립하고 한국성리학의 초석을 세웠다. 유·불·선 삼교사상에 조예가 깊었던 선생은 인간의 현실적인 삶을 중시하는 유교의 입장에서 삼교를 원융적으로 회통하고자 하였다.

이러한 목은 선생의 사상은 조선 건국이후 권근·이숭인·길재·하륜·정도전·김종직·변계량 등 수많은 제자들에 의하여 꽃을 피우게 된다. 특히 그의 불사이군(不事二君)의 의리정신은 선생 사후 오늘날까지 많은 사람들에게 귀감이 되고 있으며, 후대인들로부터 '문장의 조종', '유학의 종장', '한국성리학의 원천', '한국도학의 시조', '성명학과 의리지학을 집대성한 거유'로 칭송받고 있다.

당시는 국내외적으로 큰 혼란기였다. 국외로는 원명(元明) 교체의 변화가 있었고, 국내 역시 사회적으로 큰 변화가 감지되었다. 불교에서 중심에서 사대부 중심으로 왕권교체 등의 변화로 사회는 요동치고 있었다.

이처럼 나라가 존망 위기에 있을 때 혼란했던 당시의 상황을 선생은 시를 읊거나 술로 달래곤 하였다. 외교사신으로서의 고달픔을 술로 위로 받기도 하고 또 인간관계에서 술을 통하여 어울림과 조화 중화(中和)의 지혜를 얻기도 하였다.

『목은집』에는 술과 관련하여 삶의 애환이 담긴 수백편의 시가 남아 있다. 이들 시 속에 등장하는 술의 종류 또한 셀 수 없이 많은데 기장쌀로 빚은 서주(黍酒), 포도주(葡萄酒), 흰 밥풀이 술 위에 동동 뜨는 부의주(浮蟻酒) 등 20여 종류가 있다. 오늘날 서민들에게 사랑받고 있는 소주의 옛 이름 '아랄길'이 목은선생의 시(詩)에 처음으로 나온다. 『목은집』은 고려말 술의 수입 경로 또는 술의 사용처 등을 알 수 있는 좋은 역사적 문헌 자료이다.

1. '아랄길'의 주덕(酒德)을 노래하다

목은 선생의 시(詩) 「서린(西隣)의 조 판사(趙判事)가 아랄길(阿剌吉)을 가지고 왔는데, 그 이름을 천길(天吉)이라 하였다.」라는 제목이 흥미롭다.

형체에 기대지 않게 하는 술 속의 영특한 기운이여　酒中英氣不依形
가을 이슬로 둥글게 맺혀 밤 되면 톰방거리는 소리　秋露溥溥入夜零
생각하면 우스워라 청주의 늙으신 종사님이　可笑青州老從事
하늘의 별과 맞먹도록 뻐기게 해 주시다니　猶誇上應在天星
연명이 이 술 얻고 나면 깊이 고개 숙일 터　淵明若見應深服
정칙이 맛을 보면 홀로 깨어 있으려 할지　正則相逢肯獨醒
반 잔 술 겨우 넘기자마자 훈기가 뼛속까지　强吸半杯熏到骨
표범 가죽 보료 위에 금병풍 기댄 기분일세　豹皮茵上倚金屏

시를 읽으니 웃음이 절로 나온다. 술을 마셔보지 않은 사람도 그 느낌을 알 정도이니 참으로 대문장가의 글은 다르다 싶다. '아랄길'은 소주(燒酒)의 옛 이름이다. 아랄길주를 마신 뒤 그 독한 맛과 취기가 느껴질 정도이니 무척이나 놀란 듯하다. 시대를 거슬러 올라가 역대 이름난 명문장가인 술꾼들을 모두 소환하였으니 그 이름부터 예사롭지 않게 '천길'이라 했다.

'아랄길(阿剌吉)'이란 이름은 『목은집』에서 처음 등장한다. 아랄길은 고량(膏粱)으로 만들며 원나라 때 처음 주조법(酒造法)이 나왔다. 「서린의 조판사가 아랄길을 가지고 왔다. 그 이름을 천길이라 하였다」란 제목에서 우리는 술의 다양한 정보를 얻을 수 있다. 예컨대 '서린'은 송도의 태평관 서쪽에 있던 '양온동'을 가리키며, '조판사'는 고려말의 문신 '조운흘'을 이른다. '아랄길'은 아랄길주(阿剌吉酒)로 아라비아어 아라크(Arak) 혹은 아라그(Arag)를 차음하였다. 다른 말로 '천길'이라고도 불렸다. 아라비아 반도 사람들은 향수를 만들기 위하여 증류기를 발명하였는데, 그로인해 증류주가 발명 되었다. 칭기즈 칸이 세계 제국을 건설하면서 이 증류기가 유럽과 아시아로 전파되었는데, 소주는 탁주와 달리 색이 투명하여 백주(白酒)라고 하였다. 청주를 솥에 넣고 끓이면 소줏고리의 주둥이에 술이 이슬처럼 맺히는데 이 모양을 보고 소주를 노주(露酒) 또는 '이슬주'라고도 하였다.

1행은 소식(蘇軾)의 시에 "형체(形體)에 기대지 않게 하는 술 속의 영특한 기운이여 가을 이슬로 둥글게 맺혀 밤 되면 톰방거리는 소리 생각하면 우스워라 청주의 늙으신 종사님이 하늘의 별과 맞먹도록 뻐기게 해 주시다니"하는 대목이 있다. 이처럼 오래된 명주(名酒) 아랄길을 마시면 마치 호연지기(浩然之氣)를 잘 기른 사람처럼 느끼게 하는 효과가 있어서, 당나라 대문장가인 한유(韓愈:768~824)와 겨뤄 보려는 호기가 생긴다는 말이다.

3행의 '청주종사(青州從事)'는 '좋은 술'을 가리키는 은어이다. 진나라 환온이 술을 마실 때마다 품평을 잘하는 주부(主簿)가 먼저 술을 맛보고는, 좋은 술에 대해서는 "청주종사"라 하고, 맛이 덜한 술은 "평원독우(平原督郵)"라 하였다. 그 이유는 청주에 제군이 있고, 평원에 격현(隔縣)이 있는 것에 빗대어 좋은 술은 배꼽 아래(臍下)에까지 이르고, 나쁜 술은 그저 격막(膈膜) 근처까지만 간다고 하였다. 『세설신어 술해』

5행은 술을 좋아하기로 유명했던 진나라 도연명을 소환하였다. 도연명(陶淵明:365~427)의 이름은 잠(潛), 자는 연명(淵明), 혹은 원량(元亮), 호는 오류(五柳)이다. 그의 집 앞에 다섯 그루의 버드나무가 있어서 오류선생으로도 불렀다. 다음은 도연명이 관직을 버리고 낙향하면서 쓴 시 「귀거래사」이다.

항아리 속 술 향기 가득하네	有酒盈樽
술 단지 끌어당겨 나 홀로 한 잔 드니	引壺觴以自酌
뜰 안 나뭇가지 바라보는 내 얼굴 붉게 달아오르네	眄庭柯以怡顔,
남쪽 창가에 기댄 나 의기 양양하니	倚南窓以寄傲
집이야 비좁지만 아 얼마나 편한가	審容膝之易安
날마다 전원 거니니 재미있지만	園日涉以成趣
찾아오는 이 없어 문은 언제나 닫혀 있네	門雖設而常關

귀향한 도연명은 속세와 인연을 끊은 채 전원에서 술과 자연을 벗 삼아 안빈낙도하면서 생을 마감하였다.

다음 6행의 '정칙(正則)'은 전국 시대 초(楚)나라 사람 굴원(屈原)의 이름이다. 굴원(BC.339~278)은 정치가이자 시인이며, 이름은 평(平), 자는 원(原)이며, 초나라 회왕(懷王)때 좌도(左徒), 삼려대부(三閭大夫) 등을 지냈다. 제(齊)나라와 연합하여 진(秦)나라에 대항할 것을 주장하였다. 경양왕(頃襄王)때 반대파의 모함을 받아 쫓겨났는데, 이때 「어부사(漁父詞)」를 지었다. 굴원이 쫓겨난 뒤 강가에서 서성이고 늪가에서 거닐며 시를 읊조릴 적에, 안색이 초췌하고 몸은 말라 있었다. 어부가 그를 보고 묻기를, "그대는 삼려대부가 아니오. 어쩌다가 여기에 이르렀소?"라고 하자 굴원이 대답하기를, "온 세상이 모두 흐린데 나만 홀로 맑고 모든 사람들이 다 취했는데 나만 홀로 깨어 있어서, 이 때문에 추방을 당하였소."라고 하였다. 어부가 말하기를, "성인(聖人)은 상대에게 얽매이지 않고 세속과 더불어 옮겨가니, 세상 사람들이 모두 흐리면 어찌하여 그 진흙탕을 휘저어 그 물결을 날리지 않으며, 모든 사람들이 다 취했으면 어찌하여 그 술지게미를 먹고 그 막걸리를 마시지 않으시오. 무슨 까닭으로 깊이 생각하고 높이 행동하여 자신을 쫓겨나게 하였소?"

굴원이 대답하기를, "내가 들으니, '새로 머리 감은 사람은 반드시 갓을 털고, 새로 목욕한 사람은 반드시 옷을 턴다.'고 하였소. 어떻게 자신의 깨끗함으로 상대의 더러운 것을 받아들일 수 있겠소. 차라리 상수(湘水)의 물결에 뛰어들어 강의 물고기 뱃속에 장사지내질지언정 어떻게 희고 흰 결백함으로 세속의 먼지를 뒤집어쓸 수 있겠소."라고 하였다. 어부가 빙그레 웃고는 노를 저어 떠나면서 노래하기를, "창랑(滄浪)의 물이 맑으면 나의 갓끈을 빨고, 창랑의 물이 흐리면 나의 발을 씻는다네."하고는 마침내 떠나서 더 이상 함께 말하지 않았다. -굴원 「어부사」-

초나라 조정에서 추방당한 굴원이 곧고 결백한 자신의 처지를 피력하고자 하였다. 세속과 타협하면서 살라는 어부의 권유에 맞서는 이야기이다.

청렴한 굴원에게 세속과 타협하라고 말하는 어부 또한 굴원 자신이다. 굴원 스스로 자문자답하는 글이다. 목은 선생은 아랄길주를 마주하고도 "홀로 깨어 있겠는가" 라고 굴원에게 묻고 있다.

목은 선생은 시를 통해서 술의 출처와 용례. 사례 등 당시 선비들의 술 문화를 기록하였다. 다음의 시 「백의(白衣)에게 술을 보내왔으므로, 광주 사록(廣州司錄) 이동년열(李同年悅)에게 사례하다.」를 살펴보면,

백의를 시켜 술을 보내왔는데	白衣送酒來
광주목으로부터 왔다 하누나	云自廣州牧
봉함 열어 수교를 펼쳐 보니	開緘閱手教
황연히 친면을 대한 듯하구려	恍然如面覿
좋은 술 천리춘을 보내 주고	贈之千里春
일속과 옥으로 나를 권면했네	侑以一束玉

한산이 그 어느 곳에 있느뇨	漢山在何處
멀리 한강 한구석에 있으니	迢迢漢江曲
산천이 멀고 또 막히어서	山川脩且阻
호월처럼 아득히 격해 있는데	杳若胡越隔
어찌 뜻하였으랴 한강의 물이	豈意漢江水
내 어버이 축수 잔에 더해질 줄을	添我壽觴灩
참으로 감탄하여 마지않노라니	感嘆良不已
강 달이 적막한 밤을 비추누나	江月照夜寂 『목은시고』 권3

1행의 '백의'는 술을 가져온 사자를 이르는데, 이는 진나라 도잠이 9월 9일에 술이 떨어져 술 생각이 간절하였는데, 마침 그때 강주자사 왕홍이 흰옷 입은 사자를 시켜 술을 보내왔다는 고사에서 유래되었다.

6행의 '일속(一束)'은 상대방이 자신을 현자(賢者)로 추앙했음을 의미한다. 이는 『시경』「소아」 백구(白駒)에, "깨끗한 흰 망아지가, 저 빈 골짜기에 섰네. 꼴 한 줌 베어 먹이어라, 그 사람이 옥 같도다."한 대목이 나오는데, 이는 어진 이를 자신의 집에 오래도록 머물게 할 수 없는 아쉬움을 노래한 시이다.

2. 외로움을 술로 달래다

목은선생은 어린 시절부터 어떻게 하면 고려를 태평성대를 만들까 어진 임금을 도와 어려운 백성들의 삶을 윤택하게 하고 나라의 안녕을 도모하는 군자가 되고자 했으니 그 뜻이 크고 포부가 남달랐다. 그러나 원나라에서 벼슬하던 중에 원명의 전쟁으로 원나라 도읍은 온통 흙먼지로 가득했다.

선생은 귀국길에 "머리 돌려 바라보니 사해는 연진으로 어두운데 구름이로 높이 날아가는 한 마리의 고니"라고 하여 새로운 희망을 보이기도 하고, 선생의 뜻과 다른 삶을 사는 자신의 처지를 한탄하며 북받치는 마음을 술로 달래기도 하였다.

연새에 먼지 날려 반공중이 새까만데	燕塞吹塵半天黑
황량한 마을 객사엔 가시나무도 많네	荒村客舍多荊棘
나그네는 날 저물어 말 안장을 풀고서	行人日暮卸鞍馬
얼굴 가득 풍진 속에 길이 한숨짓노니	風塵滿面長太息
소년 시절 지기는 본디 한없이 컸건만	少年志氣本磊落
종횡으로 성취 못해 심정이 북받치누나	縱橫不就肝膽激
때로 막걸리 마시며 소리 높여 읊노니	時斟白酒更高吟
이 몸이 꼭 산골에서 늙지는 않으리라	未必將身老巖壑『목은시고』

목은선생은 당시 원에서 벼슬 하던 중이었다. 한족과 몽고족이 끊임없는 전쟁으로 사해가 온통 흙먼지로 가득했다. 중국 대륙이 대 혼란의 소용돌이에 있을 때 고려 또한 사회적 분위기가 나빴다. 선생이 처한 상황은 국내외적으로 혼란한 시기였기 때문에 귀국길이 기쁘지만은 않았던 것으로 보인다.

선생은 어느 날 「류항(柳巷) 선생이 쌍청(雙淸) 안공(安公)에게 함께 가서 밤에 얘기나 나누자고 나를 불렀는데, 내가 눈병 때문에 사양하고는 시 한 수를 지었다.」

병든 뼈로는 노천의 누대에 앉기 어렵고	病骨難於坐露臺
희미한 촛불도 흐린 내 눈 시기를 할 터	燭花應與眼花猜
쌍청정 위에는 민수처럼 술이 넘치리니	雙淸亭上如澠酒
달 속의 은두꺼비도 옥 술잔에 잠겼겠네	空想銀蟾浸玉杯

위의 쌍청정은 안종원의 누대 이름이며, 쌍청당은 그의 호이다. 쌍청정 누대위에 오늘 밤 술과 안주가 풍성하게 마련되었으리라는 것과 선생 자신은 병환으로 참석하지 못하는 아쉬운 심정을 표현하였다. 3행의 "술은 민수(澠水)처럼 그득하고, 고기는 언덕처럼 쌓였다."라는 『춘추좌전』의 말을 인용하였다. 역시 국가외교나 사적인 교류에는 반드시 술로써 분위기를 화기애애 하였으니 사람이 있는 곳에 술이 빠지지 않았다는 것을 짐작할 수 있다.

선생은 또 유염사가 보낸 술과 종이와 돗자리를 선물 받고 기쁜 마음을 시로 화답하였다.

돗자리로는 나의 자리 포근하게 하고	席以煖我坐
술로는 나의 회포 풀어지게 하고	酒以寬我懷
종이로는 들창을 밝게 비치게 하면서	紙以明小窓
생나무 휘어 꺾듯 글씨도 써 봐야지	屈折吾生柴
어디에 쓸지 벌써 궁리해 두었다만	用意自有在
청재에 이바지해도 부족함이 없겠도다	亦足供淸齋
인생이 은혜와 사랑 서로 중히 여기면	人生重恩愛
세도도 어긋나 잘못됨이 있지 않을 터	世道無乖崖
안빈낙도야 내가 감히 자처하랴마는	安貧吾豈敢

구차히 얻는 것은 내가 물리치는 바라	苟得吾所排
단지 원하는 건 풍속이 아름답게 되어	但願風俗美
국가의 기업이 회수처럼 길게 되기만을	王業如長淮
구조의 덕을 하늘이 혹 내려 주신다면	耉造德或降
화락한 봉황 소리도 들을 수 있으련만	鳳鳥聞喈喈

선물 받은 돗자리는 포근하게 깔고, 흰 종이 위에는 '팔뚝에 힘을 잔뜩 주고서 억지로 생나무를 휘어 꺾으려는 것처럼 서툴기만 한 초보자의 글씨를 한번 써 보고 싶다는 겸손의 말이다. 일반적으로 서법(書法)에서 중히 여기는 심온단윤(深穩端潤)의 필법과 비하면 스스로 폄하한 표현으로 보인다. 선생의 시 「자탄(自嘆)」에서도 "정통 필법에 비교하면 크게 어긋나겠지만, 생나무 휘어 꺾듯 써 본들 무슨 상관이랴."하고 스스로 낮추는 대목이 보인다.

마지막 행에서 "구조(耉造)의 덕을 하늘이 혹 내려주신다면 화락한 봉황 소리도 들을 수 있으련만" 에서는 국가의 원로를 예우하면서 그 경륜을 펼치게 한다면 태평 시대를 구가할 수도 있을 것이라는 자신감의 표출로 보인다. 구조의 덕은 노성한 원로의 덕이라는 뜻인데, 『서경』 주서 · 군석(君奭)에 주공(周公)이 소공(召公)에게 "그대와 같은 구조의 덕을 하늘이 장차 내리지 않는다면, 우리는 봉황의 소리를 다시 듣지 못하게 될 수도 있다."고 하였다.

3. 한산자를 빚어낸 송씨를 위하여 기록하다

선생은 외교 사신을 지내면서 술로 응대하는 일이 잦았다. 물론 선생 자신도 술을 즐겨 마시기는 하였으나 실수하는 법이 없었다. 다른 사람을 말할 때 망신하는 사례보다 술을 좋아하는 사람들의 호걸스러움을 높이 평가하는 몇가지 사례를 찾아 보았다. 선생의 그러한 모습은 「송씨전」, 「최씨전」에 잘 나타나 있다. 다음 「송씨전」에서는,

> "송씨의 출가(出家)한 이름은 성총(性聰)이다. 하지만 승방(僧房)에는 머물지 않고, 민천사(旻天寺) 동쪽 산교(傘橋) 남쪽에 있는 냇물 근처의 두 칸짜리 다락방을 자신의 거처로 삼았다. 그러고는 책을 쌓아 두고 손님을 맞이하며 날마다 그 속에 들어앉아 노래하고 시나 읊조리면서 지냈는데, 어쩌다가 돈이 생기기라도 하면 곧장 술과 안주를 사서 먹고 마시는 데에 써 버릴 뿐 조금도 아끼는 법이 없었다. 그리고 산수화나 인물화도 곧잘 그렸는데 그 그림들 역시 그다지 속된 느낌이 들지 않았으며, 성격이 또 직선적이고 솔직해서 자기 마음에 들지 않으면 얼굴색이 바로 변하곤 하였고, 말이 한 번 입에서 나오기 시작하면 뒤에 감당하지 못할 말도 마구 퍼부어대곤 하였다." 그런데 송씨가 '시를 짓는 것을 보면 성률(聲律)에 구애받지 않고 그저 귀로 들은 바가 있으면 곧장 토해 내곤 하였는데, 어떤 때는 사람을 놀라게 하기도 하고, 어떤 때는 그 자리에 있는 사람들 모두를 박장대소(拍掌大笑)하게 만들기도 하였다. 그러나 그 자신은 사람들의 평가에 대해서 기

뻐하거나 화를 내는 일도 없이 "그저 우연히 짓다 보니 괜찮은 시구가 나온 것일 뿐이지 내가 멋있게 지으려고 생각해서가 아니요, 어떻게 하다 보니 말이 졸렬하게 된 것일 뿐이지 내가 졸작을 만들려고 해서가 아니다. 그것은 나의 마음이 그때 마침 그러했기 때문에 그런 작품이 나온 것일 뿐이다."라고 말할 따름이었다. 그의 집안 살림도 이와 비슷한 점이 있었는데, 종신토록 이익을 꾀하지 않았음은 물론, 입으로 시장 물가를 말하는 법도 없고 손에 주판(籌板)을 잡을 줄도 몰랐으니, 대개 옛사람 중에서도 그와 같은 사람은 찾아보기가 어렵다고 할 것이다.'

송씨는 『맹자』를 즐겨 읽었다. 그런데 "불효 중에서도 후사(後嗣)를 두지 못하는 것이 가장 큰 불효이다."라는 대목을 접하고는, 뭔가 느껴지는 점이 있었던지 이내 불교를 버리고는 자기 머리 위에다 유관(儒冠)을 얹기에 이르렀다. 그리고 언젠가 한 번은 과거에 응시해서는 일정한 형식에 구애받지 않고 자신의 문자를 펼쳐 보이기도 하였는데, 그 착상이 워낙 기발해서 보통의 상식을 뛰어넘는 점이 있기는 하였으나, 다른 사람의 글과는 아무래도 달랐기 때문에 유사(有司)가 그를 뽑지 않았고, 송씨 자신도 그런 점을 인정하고 있었기 때문에 유사를 원망하지도 않았다. 그 뒤에 내가 연경(燕京)에 가서 지내다가 몇 년 뒤에 돌아와 보니, 그때는 이미 송씨가 죽고 없었다. 아, 슬픈 일이다.

나는 나이 열네 살이 될 때까지 아직 시를 배우지 못하고 있었다. 그런데 이따금씩 송씨를 찾아가서 노니노라면 송씨가 나에게 시 짓는 법을 가르쳐 주기도 하였는데, 내가 지은 시를 보고 나서는 항상 "그만하면 됐다."고 인가하곤 하였다. 그해에 송정(松亭 김광재(金光載)) 김 선생이 성균시(成均試)를 주관할 적에, 송씨가 나에게 응시해 보라고 권하였다. 그런데 당시에는 선군(先君)이 연경(燕京)에 계셨고 또 대부인(大夫人)께서도 나를 어리게만 보고 계셨기 때문에, 내가 응시하려 한다는 말을 듣고는 "네가 분별없이 행동하는 것이 분명하다. 네가 공부한 실력이 필시 응시할 정도는 되지 못할 테니, 네가 경거망동하는 것이 틀림없다. 그렇지 않다면 누군가가 필시 너에게 허탄한 소리를 했기 때문에 그런 것일 게다." 하면서 종이를 주시려고도 하지 않았다. 하지만 송씨가 직접 종이를 사 주기까지 하면서 나에게 응시해 보라고 더욱 적극적으로 권하는 바람에, 내가 그만둘 수도 없어서 시험장에 나갔다가 우연히 급제를 하게 되었는데, 대부인이 이 소식을 듣고는 "네가 지금 이렇게 되고 보니 내 의심이 이제야 풀렸다."고 하셨다.

그러나 나 자신으로서는 이 일이 어디까지나 요행히 이루어진 것일 뿐이지 내가 실제로 재능이 있어서 된 것은 아닌 만큼 공부를 더 열심히 하지 않으면 안 되겠다는 생각이 들었다. 그래서 이때부터 학문에 뜻을 세운 뒤로 다행히도 중도에 그만두지 않은 덕분에 오늘에까지 이르게 되었으니, 이는 전적으로 시서(詩書)의 힘인 동시에 송씨의 힘이라고 해야 할 것이다. 송씨는 무오생(戊午生)으로 나보다 나이가 11세 많았다. 그가 만약 조금 더 오래 살아서 나의 출처(出處)를 눈으로 보았더라면 필시 기쁜 마음에 잠을 이루지 못했을 것이요, 죽은 자에게 만약 영혼이 있다고 한다면 지금 자신의 선견지명(先見之明)을 자부하고 있을 것이 또한 분명하다. 내가 그래서 이런 사연을 글로 남기게 되었는데, 후세 사람들이 여기에서 하나의 교훈을 얻을 수 있을 듯하다.

한산자(韓山子)여, 그러고 보면 한산자 그대야말로 송씨가 빚어낸 작품이라고 할 수 있겠다. 그래서 중니(仲尼)가 안회(顏回)를 빚어냈다는 말도 있지 않던가. 『목은문고』「송씨전」

4. 선비 군자 최림의 이름을 남기다

목은의 제자 최림(?~1356)이 원나라 하정사로 요하에 가다가 도둑을 만나서 죽었다. 이에 그의 재주와 기개를 안타까워하며 「최씨전」을 남겼다.

"신사년의 십운과(十韻科)에 급제한 최림(崔霖)의 부친은 휘(諱)가 성고(成固)로 낭장(郎將)이요, 모친 장씨(蔣氏)는 모관(某官) 모(某)의 딸이다. 그는 술 마시기를 좋아하며 시를 흥얼대곤 하였는데, 절간에 놀러 다니기를 좋아하면서도 술을 사주지 않으면 곧장 떠나곤 하였다. 그런데 그가 한계(寒溪)라는 승려와 서로 의기투합하여 술에 흠뻑 취한 채 어울려 노닐곤 하였으므로, 예법(禮法)을 고수하는 인사들은 자못 못마땅하게 그를 보기도 하였으나, 그의 재질이 워낙 뛰어난 까닭에 겉으로는 약간 존중하는 모습을 보이기도 하였다."

"최씨는 기개(氣槪)가 있어서 과감하게 발언할 줄 아는 인물이었다. 그가 만약 일찍 죽지 않고 문사(文辭)를 더욱 발전시켰더라면, 응당 졸옹(拙翁 최해(崔瀣))에게도 그 자리를 양보하지 않았을 것이다. 그런데 벼슬자리에 오래 있지 못해서 뜻을 미처 펴 보지 못하였고, 글을 지은 것도 적어서 재질을 제대로 발휘해 보지도 못하였다. 그리하여 정기(精氣)는 요하(遼河)의 하늘 가로 흩어져 버리고, 체백(體魄)은 요하의 들판에서 보이지 않게 되었으나, 어쩌면 화표주(華表柱)를 찾아와서 탄식한 학(鶴)처럼 그가 다시 이곳에 돌아올는지도 모를 일이다. 지금으로부터 천년쯤의 세월이 지난 뒤에 「최씨전」을 읽은 사람이 그의 말소리를 또 듣게 된다면, 어찌 비감(悲感)에 젖지 않을 수 있겠는가. 내가 그래서 그에 관한 대략적인 내용을 적어서 이렇게 「최씨전」을 짓는 바이다." 하고, 최림의 뛰어난 재주와 기계를 높이 평가하여 기록하였다. 『목은문고』 「최씨전」

「초계(草溪) 정현숙(鄭顯叔)의 전기」

현숙은 "초계(草溪)에 은군자(隱君子)인 정 상사(鄭上舍)의 아들이다. 이름은 습인(習仁)이요 자(字)는 현숙(顯叔)이다. 그는 지기(志氣)도 있고 재능도 있었으나, 일단 술만 취하고 나면 아무 말이나 거침없이 쏟아내곤 하였으므로 동료들이 꺼리는 경향이 있었다." "현숙이 대책(對策)을 통해 우수한 성적으로 급제하였다. 그리하여 성균관(成均館)에서 교육을 맡고 있다가 공로를 인정받고 참관(參官)이 되었는데, 함부로 남을 따르지도 않고 구차하게 영합(迎合)하려 하지도 않았으므로, 진신(搢紳)들이 모두 그와 교분을 맺고 싶어 하였으나, 현숙은 또 그들을 대수롭지 않게 여기고서 거들떠보지도 않았다." 그러다가 영주(榮州)의 지사(知事)로 뽑혀 나가 정사(政事)를 이제 막 행하려 할 즈음에, 아전이 고사(故事)에 따라 소재도(消災圖) 앞에 나아가서 분향(焚香)할 것을 요청하자, 현숙이 말하기를 "신하가 되어 상규(常規)에 어긋나는 일을 행하지만 않는 다면 재앙이 어디에서 생겨나겠는가. 혹시 재앙이 뜻하지 않게 우연히 발생할 수도 있겠지만, 그런 재앙에 대해서는 군자는 운명으로 알고 순순히 받아들일 따름이다. 그리고 질병에 걸리기 이전에는 내가 건강을 조심하면 될 것이요, 일단 질병에 걸리면 내가 약을 먹고 치료하면 될 것이요, 죽을 정도가 되면 오장 육부(五臟六腑)가 먼저 심각한 타격을 받아서 고칠 수 없게 된 것이 분명하니, 소재도 따위가 나를 어떻게 해 줄 수 있겠는가." 하고는, 아전에게 소재도를 철거하라고 명령하였다. ....

그 고을에 또 탑(塔) 하나가 서 있었다. 현숙이 그 탑의 이름을 묻자 관리가 무신(無信)이라고 보고하였다. 이에 현숙이 말하기를 "괴이하기도 하다. 악목(惡木) 아래에서는 쉬지도 않고, 도천(盜泉)의 물은 마시지도 않는 법인데, 그 이유는 악(惡)이라든가 도(盜)라고 하는 그 이름을 싫어하기 때문이다. 그런데 어찌하여 우뚝 그 모습을 드러내어 한 고을 사람들이 모두 우러러보는 이 탑에다 무신(無信)이라는 이름을 붙일 수가 있단 말인가. 양식을 버리면 사람이 먹고살 수가 없고, 군대를 버리면 사람이 자위(自衛)할 수가 없지만, 양식과 군대는 헌신짝처럼 버리는 한이 있어도 믿음만큼은 감히 버릴 수 없다고 우리 부자(夫子)께서도 이미 말씀하셨다." 하고는, 또 그 고을의 관리에게 지시하여 즉시 허물어버리게 한 뒤에 그 탑의 벽돌을 가지고 빈관(賓館)을 수리하게 하였다.

그런데 당시에 권력을 장악한 대신(大臣)이 마침 불교를 광신(狂信)하고 있었기 때문에, 그 일과 관련하여 현숙을 사지(死

地)로 몰아넣으려고 하였다. 조정의 신하들이 현숙의 뜻을 어여쁘게 여기고는 상에게 아뢰어 많이 변호해 준 덕분에 죽음을 면할 수가 있었는데, 이렇게 해서 현숙의 이름이 더욱 중해지게 되었다. 그러다가 그 권신(權臣)이 복주(伏誅)된 뒤에 현숙을 다시 기용(起用)하여 양주(梁州)를 맡기고 또 밀성(密城)을 맡겼는데, 현숙이 가는 곳마다 강한 자를 누르고 약한 자를 도와주면서 위엄과 은혜를 동시에 드러내곤 하였다. 이와 함께 미신으로 귀신을 받드는 사당을 엄금하고 무당과 박수를 쫓아내곤 하였는데, 이러한 일들은 현숙이 항상 행해 온 일인 만큼 여기서는 생략하고 기록하지 않기로 한다. 현숙이 개경(開京)에 들어와서 도관(都官)의 낭관(郎官)이 되었을 적에도, 토지신(土地神)에게 제사를 올리지 않음은 물론 소재도(消災圖)까지 없애 버리려고 하였으나, 지위가 낮아서 실현하지 못하였다. 현숙은 모친이 돌아가시자 3년 동안 여묘(廬墓)를 하였고, 부친이 돌아가셨을 때에도 이와 똑같이 하면서 그지없이 슬퍼하고 애통해하였으므로, 칭송하는 사람들이 많았다. 그러고 보면 효자의 문에서 충신이 나온다는 말이 사실이라고 하겠다.

금상(今上)이 국정(國政)을 계승하여 행할 적에 유능한 인재를 구하는 일을 급선무로 여겼다. 이에 재상(宰相)이 평소에 현숙의 이름을 중히 여기고 있다가 위에 아뢴 결과, 전교 영(典校令) 즉 비서감(書監)에 임명되면서 3품(品)의 관복(官服)이 내려졌으니, 이는 영광스럽게 지우(知遇)를 받은 것이었다. 그런데 때마침 일본(日本)에 갈 일이 있게 되었으므로, 현숙을 아는 이들 모두가 위태롭게 되었다고 그를 위해 걱정해 주었다. .....

정작 현숙 자신은 태연한 모습으로 오히려 얼굴빛에 의기(義氣)를 드러내면서 말하기를 "사람이 태어나면 어디서든 죽게 마련인데 장소를 가릴 것이 뭐가 있겠는가. 신하가 되어 임금을 모시고 있는데 어찌 힘든 일이라고 피할 수가 있겠는가. 그리고 나의 뜻이 공을 세우는 데에 있고 보면, 비록 이역(異域) 만리에 간다 한들 하등의 꺼릴 이유가 없다. 더군다나 동방은 군자(君子)의 나라요 불사(不死)의 나라라고 일컬어져 왔는데, 지금 두 나라가 처음으로 친선을 도모하면서 서로들 기쁜 마음으로 대하고 있는데야 더 말해 무엇하겠는가. 비록 그렇긴 하지만 두 나라의 바람직한 관계를 방해하는 장애물이 아직도 제거되지 않고 있으니, 내가 이번 길에 반드시 갈등을 해소하여 형통하게 할 것이다. 그리고 뗏목을 타고 바다로 나가겠다고 한 뜻이라든지, 불사약(不死藥)을 채취하려고 했던 자취라든지, 운황(雲皇) 치기(雉紀)의 전고(典故) 등에 대해서도 내가 제공(諸公)을 위해 상세히 알아보고 오겠다." 하였다.

백운거사(白雲居士) 李奎報(1168-1241)의 국선생전(麴先生傳)

이규보는 고려 시대의 문신이자 문인이다. 본관은 여주(驪州), 자는 춘경(春卿), 호는 백운거사(白雲居士) · 지헌(止軒) · 삼혹호선생(三酷好先生)이며, 시호는 문순(文順)이다. 명문장가로서 호탕하고 활달한 그의 시풍(詩風)은 당대를 풍미하였다. 저서에는 『동국이상국집』,「국선생전」, 「동명왕편」 등이 있다. 우리에게 잘 알려진 이규보의 「국선생전」은 술을 의인화한 작품이다.

국성(麴聖)의 자는 중지(中之)이니, 주천(酒泉) 고을 사람이다. 어려서 서막(徐邈)에게 사랑을 받아, 막(邈)이 이름과 자를 지어 주었다. 먼 조상은 온(溫) 땅 사람으로 항상 힘써 농사지어 자급(自給)하더니, 정(鄭) 나라가 주(周) 나라를 칠 때에 잡아 데려왔으므로, 그 자손이 혹 정 나라에 퍼져 있기도 하다. 증조(曾祖)는 역사 기록에 그 이름이 빠졌고, 조부 모(牟)가 주천(酒泉)으로 이사하여 거기서 눌러 살아 드디어 주천 고을 사람이 되었다. 아비 차(醝 흰 술)에 이르러 비로소 벼슬하여 평원독우(平原督郵)가 되고, 사농경(司農卿) 곡씨(穀氏)의 딸과 결혼하여 성(聖)을 낳았다.

성(聖)이 어려서부터 이미 깊숙한 국량이 있어, 손님이 아비를 보러 왔다가 눈여겨보고 사랑스러워서 말하기를, "이 애의 심기(心器)가 출렁출렁 넘실넘실 만경(萬頃)의 물과 같아 맑아도 더 맑지 않고, 뒤흔들어도 흐리지 않으니 그대와 더불어 이야기함이 성(聖)과 즐김만 못하네."하였다. 장성하자 중산(中山)의 유영(劉伶)과 심양(潯陽)의 도잠(陶潛)과 더불어 벗이 되었다. 두 사람이 일찍이 말하기를, "하루만 이 친구를 보지 못하면 비루함과 인색함이 싹튼다." 하고, 서로 만날 때마다 며칠 동안 피곤을 잊고 마음이 취해서야 돌아왔다.

고을에서 조구연(糟丘掾)으로 불렀으나 미처 나아가지 못하였더니 또 불러서 청주종사(靑州從事)로 삼았다. 공경(公卿)이 번갈아 천거하니, 임금이 공거(公車)에서 조령(詔令)을 대기하게 하였다. 얼마 안 가서 불러 보고 목송(目送)하며 말하기를,

"이가 주천(酒泉)의 국생(麴生)인가? 짐이 향명(香名)을 들은 지 오래였노라."

하였다. 이에 앞서 태사(太史)가, 주기성(酒旗星)이 크게 빛을 낸다고 아뢰었는데, 얼마 안 되어 성(聖)이 이르니 임금이 또한 이로써 더욱 기특히 여겼다. 곧 주객 낭중(主客郎中)에 임명하고, 이윽고 국자좨주(國子祭酒)로 올려 예의사(禮儀使)를 겸하게 하니, 무릇 조회(朝會)의 연향(宴饗)과 종묘(宗廟)의 모든 제사의 작헌(酌獻)하는 예(禮)를 맡아 임금의 뜻에 맞지 않음이 없으므로 임금이 그의 기국(器局)이 쓸 만하다 하여 올려서 후설(喉舌)의 직에 두고, 후한 예로 대접하여 매양 들어와 뵐 적에 교자(轎子)를 탄 채로 전(殿)에 오르라 명하며, 국선생(麴先生)이라 하고 이름을 부르지 않으며, 임금이 불쾌한 마음이 있다가도 성(聖)이 들어와 뵈면 비로소 크게 웃으니, 대범 사랑받음이 모두 이와 같았다. 성품이 온순하므로 날로 친근하며 임금과 더불어 조금도 거스름이 없으니, 이런 까닭으로 더욱 사랑을 받아 임금을 따라 함부로 잔치에 노닐었다.

아들 혹(酷) · 폭(醵) · 역(醳)이 아비의 총애를 받고 자못 방자하니, 중서령(中書令) 모영(毛穎)이 상소하여 탄핵하기를, "행신(倖臣)이 총애를 독차지함은 천하가 병통으로 여기는 바이온데, 이제 국성(麴聖)이 보잘 것 없는 존재로서 요행히 벼슬에 올라 위(位)가 3품(品), 술의 3품에 놓이고, 내심이 가혹하여 사람을 중상하기를 좋아하므로 만인이 외치고 소리 지르며 골머리를 앓고 마음 아파하오니, 이는 나라의 병을 고치는 충신(忠臣)이 아니요, 실은 백성에게 독을 끼치는 적부(賊夫)입니다. 성(聖)의 세 아들이 아비의 총애를 믿고 횡행 방자하여 사람들이 다 괴로워하니, 청컨대 폐하께서는 아울러 사사(賜死)하여 뭇사람의 입을 막으소서." 하니, 아들 혹(酷) 등이 그날로 독이 든 술을 마시고 자살하였고, 성(聖)은 죄로 폐직되어 서인(庶人)이 되고, 치이자(鴟夷子 술항아리)도 역시 일찍이 성(聖)과 친했기 때문에 수레에서 떨어져 자살하였다.

일찍이 치이자가 익살로 임금의 사랑을 받아 서로 친한 벗이 되어 매양 임금이 출입할 때마다 속거(屬車)에 몸을 의탁하였는데, 치이자가 일찍이 곤하여 누워 있으므로 성(聖)이 희롱하여 말하기를, “자네 배가 비록 크나 속은 텅 비었으니, 무엇이 있는고?”하니 대답하기를, “자네들 따위 수백은 담을 수 있네.” 하였으니, 서로 희학(戲謔)함이 이와 같았다. 성(聖)이 파면되자, 제(齊) 제(臍)) 고을과 격(鬲 격(膈)) 고을 사이에 뭇 도둑이 떼 지어 일어났다. 임금이 명하여 토벌하고자 하나 적당한 사람이 없어 다시 성(聖)을 발탁하여 원수(元帥)로 삼으니, 성(聖)이 군사를 통솔함이 엄하고 사졸(士卒)과 더불어 고락을 같이하여 수성(愁城)에 물을 대어 한 번 싸움에 함락시키고 장락판(長樂阪)을 쌓고 돌아오니, 임금이 공으로 상동후(湘東侯)에 봉하였다.

1년 뒤에 상소하여 물러나기를 청하였다. “신(臣)은 본시 옹유(甕牖)의 아들로 어려서 빈천하여 사람에게 이리저리 팔려 다니다가, 우연히 성주(聖主)를 만나 성주께서 허심탄회하게 저를 후하게 받아 주시어 침닉(沈溺)에서 건져내어 하해 같은 넓은 도량으로 포용해 주심에도 불구하고 홍조(洪造)에 누만 끼치고 국체(國體)에 도움을 주지 못하며, 앞서 삼가지 못한 탓으로 향리(鄕里)에 물러가 편안히 있을 때 비록 엷은 이슬이 거의 다하였으나 요행히 남은 물방울이 유지되어, 일월의 밝음을 기뻐하여 다시 벌레가 덮인 것을 열어젖혔습니다. 또한 양이 차면 넘어지는 것은 물(物)의 떳떳한 이치입니다. 이제 신이 소갈병(消渴

病)을 만나 목숨이 뜬 거품보다 급박하니, 한 번 유음(兪音)을 내리시어 물러가 여생을 보전하게 하소서." 하였으나 임금은 윤허하지 않고 중사(中使)를 보내어 송계(松桂) · 창포(菖蒲) 등 약물을 가지고 그 집에 가서 병을 치료하게 하였다. 성(聖)이 여러 번 표(表)를 올려 굳이 사직하니, 임금이 부득이 윤허하자 그는 마침내 고향에 돌아가 살다가 천명으로 세상을 마쳤다.

아우 현(賢:약주)은 벼슬이 이천석(二千石)에 이르고, 아들 익(酏:색주(色酒)) · 두(酘:중양주(重釀酒)) · 앙(醠:막걸리) · 남(醂:과주(果酒))은 도화즙(桃花汁)을 마셔 신선술(神仙術)을 배웠고, 족자(族子) 추(醜) · 미(醾) · 엄(醃)은 다 적(籍)이 평씨(萍氏)에 속하였다. 사신(史臣)은 이렇게 평한다. "국씨(麴氏)는 대대로 농가(農家) 태생이며, 성(聖)은 순덕(醇德)과 청재(淸才)로 임금의 심복이 되어 국정을 돕고 임금의 마음을 흐뭇하게 하여 거의 태평을 이루었으니, 그 공이 성대하도다. 그 총애를 극도로 받음에 미쳐서는 거의 나라의 기강을 어지럽혔으니, 그 화가 비록 자손에 미쳤더라도 유감 될 것이 없었다. 그러나 만년에 분수에 족함을 알고 스스로 물러가 능히 천명으로 세상을 마쳤다. 『역』에 이르기를 '기미를 보아 떠난다' 하였으니, 성이 거의 그에 가깝도다." 『동국이상국집』 「국선생전」

서막은 삼국 시대 위나라 사람으로 당시 금주령이 엄한 속에서도 늘 술에 취해 있었고, 술을 중성인(中聖人)으로 높였기 때문에 서막이라고 하였다. 주인공 국성은 주천 고을 사람으로 아버지는 차, 어머니는 곡씨(穀氏)의 딸이다. 서막은 어린 국성을 사랑하여 국성이라는 이름을 붙여주었다. 국성은 어려서부터 이미 깊은 국량(局量)이 있었다. 손님이 국성의 아버지를 찾아왔다가 국성을 눈여겨보고 "이 아이의 심기(心器)가 만경(萬頃)의 물과 같아서 맑게 해도 더 맑지 않고, 뒤흔들어도 흐려지지 않는다"고 칭찬하였다. 국성은 자라서는 유령(劉伶)·도잠(陶潛)과 더불어 친구가 되었다. 임금도 국성의 향기로운 이름을 듣고 그를 총애하였다. 그리하여 국성은 임금과 날로 친근하여 거슬림이 없었고, 잔치에도 함부로 노닐었다. 국성의 아들 삼형제 혹(酷:텁텁한 술맛을 형용)·포(醭:一宿酒·鷄鳴酒)·역(醳:쓰고 진한 술)은 아버지의 총애를 믿고 방자히 굴다가 모영(毛穎:붓을 의인화함)의 탄핵을 받았다. 이로 말미암아 세 아들은 자살하고, 국성은 탈직하여 서인이 되었으나 곧 다시 기용되어 난을 평정하는 공을 세웠다. 그러나 국성은 스스로 물러날 때를 알고 임금의 허락을 받아 고향에 돌아가 폭병으로 죽었다. 사신이 말하기를, "국씨는 대대로 농가출신이다. 국성이 순후한 덕과 맑은 재주로 임금의 심복이 되어 나라 정사를 짐작하고, 임금의 마음을 윤택하게 함에 있어 거의 태평한 경지의 공을 이루었으니 장하도다!" 하였다.

이규보는 「국선생전」을 통해 술과 인간 사이에 빚어지는 덕과 패가망신의 인과관계를 군신관계로 설정하고, 그 성패를 비유적으로 다루고 있다. 특히, 주인공 국성을 신하의 입장으로 설정하고 있다. 이는 유생의 목표는 근본적으로 신하로서 군왕을 보필하여 치국 평천의 이상을 실현하는 데 있음을 강조하기 위한 의도로 보인다. 신하는 군왕으로부터 총애를 받게 되면 자칫 방자하여 신하의 도리를 망각하게 된다. 그러면 신하는 한때 유능한 존재에서 국가나 민생에 해를 끼치는 존재가 되기 쉬우며, 종단에는 자신의 몰락까지 자초하는 경우가 많다. 따라서, 『국선생전』은 신하는 신하의 도리를 다할 때 어진 신하가 될 수 있으며, 때를 봐서 물러날 줄도 알아야 한다고 제시하고 있다.

고려 후기 문인 임춘 「국순전」

임춘(林椿:1149?~1182?)의 자는 기지(耆之) 호는 서하(西河)이다. 서하선생의 「국순전」은 술을 의인화하여 현실을 풍자한 작품이다.

> 주인공 국순의 조상은 농서(隴西:지명地名) 사람으로 90대 조상인 모(牟:보리)가 후직(后稷:농사를 맡은 벼슬)을 도와 백성들을 먹여 살린 공이 있었다. 모는 처음에 벼슬하지 않고 숨어 살며 이르기를 "나는 반드시 밭을 갈아야만 먹으리라."고 하며 밭에서 살았다. 임금을 좇아 원구(圜丘: 하늘에 제사지내는 단(壇))에 종사한 공으로 중산후(中山侯)로 봉하여졌고, 국씨(麴氏)라는 성을 받았다. 위(魏)나라 초기에 이르러 국순의 아버지 주(酎: 소주·전국술·醇酒)가 세상에 이름이 알려졌다. 주는 상서랑(尙書郎) 서막(徐邈)과 더불어 서로 친해져서 입에서 떠나지를 않았다. 국순의 기국과 도량은 크고 깊어 출렁거리고 넘실거림이 마치 만경창파의 물과 같았다. 그래서 맑게 해도 더 맑지 않고, 흔들어도 흐려지지 않았으며, 그 맛이 한때에 드날리고 자못 사람에게 기운을 더해주었다. 국순은 군신의 회의에는 반드시 나아갔고, 그 진퇴와 수작이 임금의 뜻에 맞아서 마침내 권세를 얻게 되었다. 그리하여 국순은 손님접대, 노인봉양, 고사(告祀) 및 종묘제사를 모두 주재했다. 그러나 국순은 전벽(錢癖:돈을 밝히는 병통)이 있어서 당시의 의론이 그를 더럽게 여겼다. 국순이 늙어 관을 벗고 물러날 때에 임금에게 아뢰기를, "신이 작(爵)을 받고 사양하지 않

으면 마침내 망신할 염려가 있사오니, 신을 집에 돌아가게 해 주시면 족히 그 분수를 알겠나이다."라 하였다. 국순은 집에 돌아온 뒤에 갑자기 병이 들어 하루저녁에 죽었다. 사신(史臣)이 이르기를 "국씨의 조상이 백성에게 공이 있어 국순이 벼슬에 발탁되었으나, 왕실이 어지러워 엎어져도 붙들지 못하더니, 마침내 천하의 웃음거리가 되었으니 이는 거원(巨源:중국 晉나라의 문인인 산도(山濤))의 말이 족히 믿을 만하다"고 하였다. 『서하선생집』「국순전」

임춘은 이 작품을 통해서 인생과 술의 관계를 다루고 있다. 즉, 인간이 술을 좋아하게 된 것과 때로는 술 때문에 타락하고 망신하는 형편을 풍자하고 있다. 그리고 이 작품은 인간과 술의 관계를 통해서 임금과 신하의 관계를 비유적으로 기술한 것이다. 당시의 여러가지 국정의 문란과 병폐, 특히 벼슬아치들의 권력남용과(발호) 타락상을 증언하고 고발하려는 의도의 산물이다. 「국순전」은 소인들의 득세로 인해 오히려 뛰어난 인물들이 소외되는 현실을 비판하고 풍자하였다.

5. 사돈(査頓)의 유래

고려 술 문화 가운데 '사돈(査頓)'에 얽힌 재미있는 일화가 있다. 우리에게 익숙한 단어인 수작(酬酌), 사돈(査頓), 참작(參酌) 등은 대작(對酌)문화에서 발달한 것으로 보인다. 이 가운데 '사돈'이란 낱말의 유래가 흥미롭다.

고려 예종(1107년)때의 일이다. 여진족 토벌을 위한 별무반을 창설하고 윤관은 대원수, 오연총은 부원수에 임명되었다. 북쪽의 여진을 정벌한 후 경략의 거점인 요소 9개소에 성을 쌓고 옮겨 살게 하고 이듬해 개경에 개선하였다. 이것이 이른바 '윤관 9성(城)의 역(役)'이다. 윤관과 오연충은 오랜 세월 전쟁터에서 동고동락하다보니 매우 가깝게 지내던 중 서로 자녀를 혼인시켜 사돈관계를 맺게 되었다. 두 사람은 노년이 되자 작은 냇물을 사이에 두고 살면서 종종 만나 술로 지난날의 회포를 풀곤 하였다.

그러던 어느날 각자 술을 들고 집을 나섰는데 갑자기 내린 소나기로 냇물이 넘쳐 건널 수 없게 되었다. 그러자 두 사람은 서로 냇가 건너편 나뭇등걸위(사査)에 앉아 이편에서 "한 잔 드시오"하고 머리를 숙이면(돈수頓首), 저편에서 "한 잔 드시오"하고 머리를 숙이고 두 사람은 밤이 새도록 술을 마셨다. 이것이 당시의 풍류로운 이야깃거리가 되어 서로 자녀를 결혼시키는 것을 '우리도 사돈(査頓)을 해볼까' 라고 말한 것이 오늘날까지 전해지게 된 사돈의 유래이다.

이상으로 목은 선생의 『목은집』을 통해서 고려의 술 문화에 대하여 고찰해 보았다. 공자의 유학은 인간의 현실적 삶을 중시하는 학문이다. 따라서 위에 열거한 「송씨전」, 「최씨전」, 「초계 정현숙의 전기」 등은 목은 선생이 천년 뒤에 읽혀질 것을 고려하여 쓴 글이다. 후대에 본받았으면 하는 목은 선생의 마음이 읽혀지기에 글을 옮겨 보았다. 이색의 『목은집』, 이규보의 「국선생전」 임춘의 「국순전」을 소개하였는데, 이들 세 사람은 고려의 대 문호로 이름난 학자들이다. 한국성리학의 거유(巨儒)로 불려온 목은 선생은 성명(性命)의 이치와 의리(義理)를 중요시 하였다는 것을 알 수 있었으며, 또 이규보의 「국선생전」은 신하는 신하의 도리를 다할 때 어진 신하가 될 수 있으며, 때를 봐서 물러날 줄도 알아야 한다고 제시하였다. 임춘은 「국순전」을 통해서 인생과 술의 관계를 다루고 있다. 즉, 인간이 술을 좋아하게 된 것과 때로는 술 때문에 타락하고 망신하는 형편을 풍자하였다.

목은 선생은 "한 덩이 화기(和氣)밖에 다른 물건 없으니 중화를 빚어 만들어 작은 시에 넣으련다."라고 말하면서, 중화 개념을 아우르는 융해적 성격으로 제시하였다. 선생은 중화를 같으면서도 다르고 다르면서도 같은 화해(和諧)의 의미로 풀이하였으며, 이 때 술이 중화를 이루는 중요한 역할을 담당하였던 것으로 보인다.

| 참고문헌 |

이색, 『목은집』,

이규보, 『동국이상국집』,

임춘, 『서하선생집』

『목은집』, 임정기 번역, 한국고전번역원, 2000.

『고려사』, 『동문선』, 『고려사절요』,

박현희, 「소주의 흥기」, 『중앙 아시아 연구』 제 21호

박경심, 「목은 이색의 철학적 인간학」, 문사철. 2009.

이은영, 「목은 이색의 철학사상 연구」, 성균관대학교 박사학위논문. 2019.

I

술과 차,
무엇을 마시고 취할 것인가?

김경미

김경미

성균관대학교 유학과에서 유학을 전공하였으며, 동대학교 유학대학원에서 예절다도 석사를 거쳐 철학박사학위를 취득하였다.
현재 성균관대학교 학부대학 · 대학원 강사, 한국지역사회교육협의회연합 수석강사, 성남인문교육원 원장, 더나은세상을위한인문학연구원 이사로 활동하고 있다. 초, 중, 고, 대학교, 대학원과 문화원, 향교, 도서관, 학습관 등 다양한 교육기관에서 차(茶)와 인문의 융합교육으로 차를 통한 행복한 세상 만들기에 노력하고 있다. 또한, 자녀교육과 부모교육의 연구로 『자녀인성함양을 위한 부모교육프로그램연구』와 『부모교육의 유학적 적용-〈태교신기〉를 중심으로』, 『유학의 태교에 관한 연구-〈태교신기〉를 중심으로』 등의 논문을 완성하였으며, 저서로 역서『태교신기』와 『모태미인』, 『영화, 차를 말하다1, 2』가 있다.

인간이 음식을 먹고 음료를 마시는 것은 단순히 우리 몸을 구성하고 만든다는 물질적인 것만을 의미하지 않는다. 우리가 먹고 마시는 모든 것은 우리의 생각과 행동에 영향을 미친다. 인간은 아주 오래전부터 술과 차를 마셔왔다. 이 두 음료는 인간의 몸뿐만 아니라 행동과 정신에 영향을 미쳤다. 술과 차는 인간의 일상과 의식에 등장하여 하나의 행동문화를 형성하였고 또한 인간의 정신문화에도 영향을 주었다. 동양 문화와 한국 문화에서 술과 차는 어떤 의미를 가지며 인간의 정신문화에 끼친 영향을 살펴보는 것은 단순히 술과 차를 좋다, 싫다의 차원을 넘어 인간의 행동과 정신세계를 살펴볼 수 있는 계기가 될 것이다.

1. 술과 차는 언제부터 마시게 되었나?

신화나 전설에 술과 차가 등장하는 것으로 보아 인간은 술, 차와 아주 오래전부터 관계되어 있다는 것을 짐작할 수 있다. 그렇다면 인간은 술과 차를 언제부터 마셨을까?

술과 관련된 세계 각 문명권의 신화나 전설을 살펴보면, 메소포타미아문명은 그리스의 디오니소스나 박카스(포도주), 인더스문명은 소마(감로주), 이집트문명은 오시리스 신(맥주), 그리고 황하문명은 우(禹)임금과 의적(儀狄)으로 대표된다. 그중 동양의 술과 관련된 내용은 다음과 같다.

> 옛날 우임금의 딸이 의적에게 명하여 술을 빚게 했는데, 술이 너무 좋아서 우임금에게 바쳤다. 술을 맛본 우왕이 감탄하면서 의적을 멀리하고 술을 금지하며 말하기를 "후세에 반드시 이 술 때문에 나라를 망치는 일이 있을 것이다"라고 하였다.
> (昔者帝女, 令儀狄作酒以美, 進之禹. 禹飮而甘之, 遂疏儀狄, 絶旨酒曰, 後世必有 以酒亡其國者. 『戰國策』「魏策」)

하나라 때 의적이 처음 술을 만들어 우왕에게 바쳤다는 이야기는 고대 중국에서 술과 관련된 유래 중 가장 대표적인 전설이다.

그러나 술은 어떤 특정한 사람에 의해 만들어진 것이 아니라, 오랜 옛날부터 자연발생적으로 생긴 것으로 보아야 할 것이다.

> 밥을 다 먹지 못하고 남겼을 때 그 나머지를 빈 뽕나무에 버

렸더니 쌓여서 향기가 나고 맛을 가지게 되어, 오래 두니 향기로웠다. 이때 그 내용물을 꺼내면 되니 그야말로 기이한 방법이라 아니할 수 없다. (有飯不盡, 委余空桑, 鬱積成味久蓄氣芳. 本出於此, 不由奇方. 『尙書』「酒誥」)

『상서(尙書)』「주고(酒誥)」에서는 술이 우연히 발효되었으며, 이것을 인간이 이용하게 되면서 술의 역사가 시작된 것으로 보고 있다. 아마도 과일이나 곡류 등의 당질 원료에 야생의 미생물이 자연적으로 생육하여 알코올이 생성된 발효식품인 술이 생겨났을 것이다. 그리고 이것을 우연히 마시게 된 사람들은 점차 과학적인 발효 기술로 직접 술을 빚어 마셨을 것이다. 이렇게 본다면 술의 처음 시작은 사람이 아닌 자연이 만들어낸 작품이라고 볼 수 있는 것이다.

이렇게 물을 제외하면 지구상에 존재하는 상용의 음료 가운데 가장 오래된 것은 술이다. 술은 일상의 음료였으나 또한 약용으로 사용되기도 하였는데, 옛사람들이 술을 빚은 목적 중 하나가 약용으로 사용하기 위한 것이었다. 동양에서 술을 '백약의 으뜸'이라 하고 서양에서 술을 '모든 의약의 여왕'이라 명명한 것만 보아도 술의 약용을 익히 짐작할 만하다. 실제로 술은 동서양을 막론하고 민간에서 약으로 폭넓게 이용되었다. 철분을 보충하기 위해 철분이 풍부한 포도주를 마신다든가, 담석증을 치료하기 위해 맥주를 마시는 일, 그리고 위스키 같은 경우는 아주 오래전부터 응급처치용으로 활용되기도 하였다. 동양, 특히 고대 중국인들은 술이 신과 통하는 영성(靈性)을 지녔다고 여겼으며 술의 약용적 효능을 문헌에 기록하기도 하였다.

병이 있으면 술 마시고 고기를 먹는다. (有疾則飮酒食肉. 『禮記』 「曲禮上」),

의술의 본성은 술을 얻고서야 사용할 수 있다. 술은 병을 낫게 한다.(醫之性然, 得酒而使, 酒所以治病也. 『說文解字』 「卷十五, 酉部」),

오늘날 약주(藥酒)라 표현하는 말도 바로 술의 약으로서의 효능을 강조한 것이다. 실제로 유럽의 한 장수마을을 조사해보니 그곳의 나이 많고 건강한 어른들은 하루 한 잔의 와인을 마시고 있었다고 한다. 우리나라에서도 반주(飯酒)라 하여 끼니때마다 밥에 곁들여 한두 잔 술을 마시기도 하였는데 이것도 약주의 개념이라 할 것이다. 일반적으로 현대사회에서 술은 긍정적이기보다는 부정적으로 인식되는 경우가 많다. 그러나 본래부터 술이 가지고 있었던 약으로서의 효능과 기능을 확대하는 노력을 기울인다면 술의 긍정적 효과를 발전시킬 수 있을 것이다.

술은 건강을 위한 음료이기도 하지만 술을 통해 인간의 상상력이나 창의성을 발현해 내거나 잠재되어 있던 예술가의 예술성을 발휘할 분위기를 만들어 주기도 한다. 조선시대 3대 화가로 일컬어지는 장승업은 그림 그리는 동안 항상 옆에 술이 놓여 있어야 했다고 전해지는데 그의 작품은 술이 있는 자리에서 만들어진 것이라고 해도 과언이 아니다. 이처럼 예술가들이 술을 통해 영감을 받고 뛰어난 작품 세계를 얻는 경우를 종종 볼 수 있다. 예술가뿐만 아니라 시를 짓는 선비들에게도 술은 정서를 자극하는 낭만의 매개체였다. 그들은 술로 인한 취흥(醉興)이 시흥(詩興)으로 이어지면서 선비 자신의 속마음을 진솔하고 격의 없이 넉넉한 마음으로 드러내는 시의 세계로 인도하며 서정적 풍류 생활을 즐기기도 하였다. 그렇게 술은 예술적 상상과 창작에 많은 영향을 미치고 인간 정서와 감정의 폭을 확장하여 솔직한 모습을 경험할 수 있게 만들어 주기도 하였다.

인간이 술을 마시게 되고 술이 필요한 이유는 인간 자체가 본질적으로 서로 모이고 즐기려는 본성을 지니고 있기 때문이다. 함께 모이는 자리에서 관계를 특별히 친밀하게 해주는 음료가 바로 술이다. 술은 인간관계를 부드럽게 만들어 새로운 인간관계를 설정하는 데 도움을 주며, 이미 친숙한 관계나 공동체와 결속을 촉진하고 공고히 하는 윤활유 역할을 한다. 『삼국지』의 유비, 관우, 장비도 복숭아 밭에서 술을 마시며 결의하였고, 신라시대 포석정에서의 술 문화도 군신일체를 다지기 위한 의식이었다. 일반 서민들도 마을 단위의 향약 집회나 향음례 등을 통해 술을 마시며 마을 사람들의 일심동체의 결속을 다졌다.

술만큼이나 오랜 음용의 역사를 간직한 것이 바로 차이다. 전설상의 신농부터 시작된 차의 역사로 본다면 무려 5,000년이나 된다.

> 신농이 백 가지 약초를 맛보았는데, 하루는 70여 차례나 중독되었으나 차를 마시고 해독하였다.(神農嘗百草之滋味…日遇七十二毒 得茶而解.『神農本草經』)

신농은 전설상의 삼황오제 중 하나로 농사의 신이며 불의 신이다. 인간세계에 내려온 신농은 굶주림으로 허덕이는 인간을 대신해 주위의 다양한 나뭇잎과 풀을 맛보고 인간의 몸에 유익한 것과 해로운 것을 가려냈다. 하루는 여러 가지 잎과 풀을 맛보다가 72가지의 독에 중독되었다. 여러 가지 독으로 잠시 정신을 잃은 신농이 누워있었는데 어디선가 바람이 불면서 한 나무의 잎이 떨어져 신농의 입으로 들어갔다. 신농은 입속으로 들어온 잎을 우적이며 먹게 되었는데, 그 잎을 먹은 신농은 잠시 뒤에 정신이 돌아왔다. 정신이 든 신농은 자신이 먹은 잎이 어떤 것인지 살펴보았는데, 이것이 바로 차나무였다. 『신농본초경』에서는 인류가 찻잎을 이용한 것이 전설상의 인물인 신농(神農)에서부터 시작되었으며, 차의 처음 시작이 독을 해독하는 약용으로 사용되었음을 알려 준다. 차를 만드는 원재료인 차나무 잎의 처음 시작은 이처럼 약으로 사용되었던 것이다. 실제로 일상생활 속에서 차는 한약재의 하나로 사용하기도 하였는데, 궁중이나 민간에서 배앓이나 체기를 없애기 위하여 사용된 기록을 볼 수 있다.

중국의 차와 티베트의 말을 교환하기 위한 교역로를 차마고도라 부른다. 해발 4,000m가 넘는 험준한 협곡으로 이어진 차마고도를 통해 중국의 차는 티베트로 운송되었다. 티베트인들에게 차는 거의 유일한 비타민의 공급원이다. 비타민 부족을 막기 위해 사람들은 뜨거운 물에 차를 넣고 끓이며 수시로 차를 마신다. 특히 이들이 마시는 특별한 차가 있는데 수유차이다. 수유차는 야크의 젖을 이용해 만든 버터와 차를 넣고 끓여 만든 차로 비타민을 공급하고 아울러 단백질을 공급하는 중요한 기능을 한다. 티베트인들에게 차는 생명에 꼭 필요한 식품이며 약의 대용품이었던 것이다.

작은 병에 샘물을 길어, (小瓶汲泉水소병급천수)

깨어진 솥에 노아차를 달이네. (破鐺烹露芽파당팽로아)

귀로 듣는 것이 갑자기 밝아지고, (耳根頓淸淨이근돈청정)

코로는 아름다운 자연의 향을 맡는다네. (鼻觀通紫霞비관통자하)

별안간 눈에 가리운 것이 사라지니, (俄然眼翳消아연안예소)

밖으로는 조그만 티도 보이지 않네. (外境無纖瑕외경무섬하)

혀로 음미하고 목으로 넘기니, (舌辨喉下之설변후하지)

온몸이 바르게 되어 치우침이 없네. (肌骨正不頗기골정불파)

가슴 속 신령스러운 마음자리, (靈臺方寸地영대방촌지)

환히 밝아 생각에 그릇됨이 없네. (皎皎思無邪교교사무사)

어느 겨를에 천하 다스리는 일에 생각이 미치랴, (何暇及天下하가급천하)

군자는 마땅히 집안을 바르게 해야 하리. (君子當正家군자당정가)

차를 소재로 쓰인 시들은 대부분 고요함과 한가한 느림의 미학, 그리고 정신적 안정감과 깊이를 가지고 시인의 정신적 감정의 심화를 선보인다. 위 시는 목은 이색의 다후소영(茶後小詠), '차를 마신 후 읊조리다'이다. 소박한 다기구를 사용하여 차를 달여 마시니 귀와 코와 눈이 욕심에서 벗어나 온몸이 바르게 된다. 차 한 잔으로 마음이 신령스럽고 그릇된 생각이 없어진다니, 차의 효용이 대단하지 아니할 수 없다. 과거 조상들은 한 잔의 차를 몸과 마음을 닦는 수신(修身)의 매개체로 사용하였는데, 마치 불가의 선승(禪僧)들이 참선에 차를 이용하였던 이유와 같다. 다시(茶詩)에서 다선일미(茶禪一味), 다선일여(茶禪一如)와 같은 말들을 사용하며 차를 불가의 선(禪)과 동일선상에 놓기도 하는데, 차의 정신적 깊이와 품격을 수신과 연결하기 위함이다. 차와 수신의 연결고리는 오늘날에도 이용되고 있다. 변화무쌍한 사회를 살고 있는 현대인들이 자신의 정서적 안정과 자유로움을 위해 행하는 명상(冥想)에서 차를 사용하는 것이다. 사실 차는 오늘날 현대과학으로 성분과 효능이 입증되면서 정신적 안정 효과, 뇌신경 조절 효과 등에 도움을 주는 것으로 밝혀졌다. 욕망을 떨쳐내고 정서적 안정과 마음의 건강을 위해 차를 마시는 일은 과거뿐만 아니라 오늘날에도 여전히 유효한 일이다.

차는 인간관계를 이어주는 역할을 하기도 한다. 우리가 다른 사람들과 만나면 흔히 하는 말 중 하나가 "언제 차 한잔해요."라는 말이다. 이렇게 차는 언제든 사람들을 연결하고 맺어주는 역할을 한다. 혼자 앉아 자신을 돌아보며 마시는 차 한잔도 좋고, 여러 사람과 어울리며 마시는 차 한잔도 좋다. 차는 그 자체로 사람들을 행복하게 한다.

이렇게 술과 차는 아주 오랜 옛날부터 우리와 함께해 왔으며 오늘날에도 여전히 우리와 함께하고 있다.

그렇다면 오랜 시간 동안 함께 해온 술과 차는 인간에게 왜 필요했을까?

술과 차는 인간의 문화에 있어서 꼭 필요한 것이었다. 인간이 태어나서 죽은 후까지의 모든 의례 과정인 통과의례에서도 술과 차는 필요했으며 풍류를 즐기는 문화생활에서도 필수적인 것이었다. 또한 인간의 정신문화를 만들어 가는데에도 술과 차는 지대한 영향력을 끼쳤다. 그럼, 인간의 삶과 정신적 육체적 문화생활의 한 축을 담당했던 술과 차에 대해 알아보자.

2. 술과 차, 의례의 문화

일반적으로 민족과 국가, 혹은 같은 문명권에 속한 사람들의 사상이나 문화 인식이 일상생활에 나타나는 것을 의례 문화라 한다.

고대국가 체계가 갖추어지기 시작한 시기의 통치자는 하늘과 백성을 연결하는 중간자로서 하늘에 제사를 지낼 수 있는 특권과 의무가 있었고, 제사 의식을 통해 통치의 명분과 자신의 고귀성을 보장받았다. 따라서 제사에 쓰이는 음식은 중요할 수밖에 없었는데, 정화된 매개체로서 제사 의식에 사용된 것이 바로 술과 차였다. 술은 상나라 시대부터 맑은 음료로 인식되면서 제사에 사용되었으며, 차가 음료로 사용된 시기를 명확히 할 수는 없으나 문인들의 시와 글 등에서 술의 비교 대상이 되어온 것으로 볼 때 술과 함께 음료로 사용되었던 것으로 보인다.

의례의 술 문화

술은 각종 의식의 필수품으로 상고시대부터 천지신명에게 올릴 때 반드시 갖추어야 하는 신성한 제물로 음식 가운데 가장 고귀한 것으로 인정되어왔다. 특히 인생의 중요한 통과의례에 등장하는 술은 신성한 의미를 가진 음식으로 여겨졌으며, 의례를 마치고 그곳에 모인 사람들이 서로 술을 나누어 마시는 행위는 사람과의 친교를 매우 긴밀하게 만들고 집단의 힘을 하나로 모으는 역할을 하였다.

우리 민족도 부족 국가가 형성되면서 제천행사 의식에 술을 사용하였다. 고대국가의 통치자는 제천의식을 통하여 자신의 신분과 명분을 보장받았다. 따라서 자신과 신을 연결하는 매개체로 가장 정화된 음식이 필요하였다. 부여의 영고(迎鼓), 고구려의 동맹(東盟), 동예의 무천(舞天) 등 고대의 제천행사에서 술은 단순한 음료가 아니라 신과 인간을 이어주는 신성한 제물이었다.

이후 술은 통과의례의 의식에서 엄숙함을 나타내는 상징물로 사용되었다.

관례는 전통사회의 성년식이다. 남자는 15세가 넘으면 육체와 정신이 성숙해지므로 관례를 행하였다. 머리의 모양을 바꾸어 관(冠)을 쓰고 그에 맞는 성인의 의관을 갖추어 입으며, 이름 대신 부를 수 있는 자(字)를 지어 어른의 책무를 지니게 하였다. 또 술을 맛보게 하는 의식인 초례(醮禮)을 행하여 성인으로서 술을 마실 수 있는 자격이 있음을 인정하였다. 사회적인 책임과 의무에 대한 맹세를 서약할 때 술을 사용하는 것은 스스로 이치를 깨닫고 본심을 지키며 올바른 행실을 할 수 있는 성인임을 자각시키는 일이었으며, 술을 대접받는다는 것은 인격적으로 성숙함을 의미하며 바로 성인임을 뜻하는 것이었다. 이처럼 인생을 통틀어 인간으로서의 위상 변화에 술은 중요한 상징이었다.

혼례에서 술은 신랑, 신부의 일체화를 위한 매개체로 사용되었다. 혼례 의식 중 본식에 해당하는 대례(大禮)에서 신랑과 신부는 반으로 쪼개 둘로 만든 표주박 잔에 각각 술을 나누어 마시는 의례를 행하였다. 이때 둘로 나누어졌던 표주박을 하나로 합치는 합근례(合巹禮)와 표주박에 담긴 술을 마시는 근배례(巹杯禮)가 진행되었는데, 각각의 의례는 두 몸이 하나가 되었으며 두 사람이 하나로 합쳐졌다는 상징적인 행위를 의

미한다. 이러한 행위는 두 사람이 한마음과 한 몸이 되어 서로 사랑한다는 의지를 상징적으로 표현한 것으로 술이 그 매개체 역할을 하였다.

제례에서 술은 조상의 명복을 천지신명께 기원하는 상징물이다. 제례에서 가장 기본이 되는 것이 술과 과일과 푸육이다. 그중 제주(祭酒)라 불리는 술은 제사상에서 빠져서는 안 되는 것으로, 술이 없는 제사는 상상할 수 없다. 종묘사직의 제례, 향교의 석전제, 집안의 제사 등 제례의 크고 작음을 막론하고 술을 올리는 것은 제사의 핵심이다. 제사에 올리는 술은 대상이 술을 마실 줄 아는 자였거나, 술을 마시지 못하는 자였거나 혹은 남자였거나 여자였거나를 불문하고 반드시 준비되어야 하는 것이었다. 신과 교류하는 중요한 매개물로 술잔을 모사(茅沙) 그릇에 세 번에 나누어 붓고 술의 향으로 영혼이 하늘에서 인간 세상으로 내려오도록 기원하며 제사가 시작되고, 제사에 참여한 사람들의 음복으로 제례 절차가 마무리되었다. 여기서 음복이란 술을 나누어 마시는 것 외에 제사 지낸 재물을 나누어 먹는 일체 행동을 의미한다. 제례에 올린 음식은 복된 음식이라 생각하였기 때문에 주변의 친척과 노비에게까지 나누어 함께 마시고 먹었다.

이처럼 각종 의례에서 술은 정성과 공경을 담아 예의를 돈독히 하는 신성한 매개체였으며, 구성원 전체의 결속과 일체감을 주기 위한 매개체이기도 하였다.

예로부터 전통적으로 고상한 술 문화를 가진 민족은 아름다운 음주 풍속을 유지하기 위하여 술 마시는 예의범절을 배우고 가르쳤다. 옛날부터 술을 마실 때 예의를 갖추고 절도 있는 방법을 지키도록 가르쳐 온 것은 음주 시 마음 자세와 술 마시는 사람이 지켜야 할 예의범절을 중시하였기 때문이다. 유교 의례 중 술을 마시는 구체적 의례로 '향음주례'가 있다. 향음주례에 관한 기록은 『예기』 45편 「향음주의(鄕飮酒義)」에 보인다. 향음주의는 고을 사람들이 모여서 잔치를 열고 술을 마시는 예절을 다룬 것으로 기본 취지는 존양과 정결, 그리고 공경을 다하는 것이다.

> "주인이 상문(庠門)의 밖에서 손님에게 절하여 맞이하고, 들어와서 세 번 읍을 한 뒤에 계단에 이르며, 세 번 사양한 뒤에 당에 오르는 것은 존양을 다하는 까닭이다. 손을 씻고 잔을 드는 것은 정결을 다하는 까닭이요, 주인이 손님을 맞이하여 정중하게 절하고 주인이 잔을 씻는데 대해 손님이 절하여 공경의 뜻을 표하고 주인이 손님에게 잔을 올리면 손님이 절하고 잔을 받고 주인이 절하면서 손님에게 잔을 보내는 것은 공경을 다하는 까닭이다. 존양하고 정결하고 공경하는 것은 군자가 서로 접하는 바다. 군자가 존양하면 다투지 않으며, 정결하게 하고 공경하면 교만하지 않는다. 교만하지 않고 다투지 않으면 싸움과 논쟁이 멀어지고, 싸움과 논쟁을 하지 않으면 폭란의 화가 없을 것이다. 이것이 군자가 남으로부터의 화를 면하는 까닭이다."(主人拜迎賓于庠門之外, 入, 三揖而後至階, 三讓而後升, 所以致尊讓也. 盥洗揚觶, 所以致潔也. 拜至, 拜洗, 拜受, 拜送, 拜旣, 所以致敬也. 尊讓潔敬也者, 君子之所以相接也. 君子尊讓則不爭, 潔敬則不慢, 不慢不爭, 則遠於鬭辨矣. 不鬭辨則無暴亂之禍矣, 斯君子之所以免於人禍也. 『禮記』 「鄕飮酒義」)

향음주례는 술을 따르고 술잔을 건네는 엄격한 법도와 술을 마시기 전과 마신 후 절하는 예와 격식을 갖추고 있다. 손님을 맞이하게 되면 절하고, 술잔을 씻을 적마다 절하고, 술잔을 주고받을 때마다 절하여 상대에게 공경심을 가지게 하였다. 이러한 과정을 통해 자신을 수양하도록 하였는데 그래서 향음주례는 술 마시는 예절 외에도 몸가짐을 단정하게 하고 정결하고 절도 있는 태도를 가질 것을 강조했다. 이것은 마치 갈증 난 자가 물을 마시듯 술을 마시는 것이 아니라, 술을 통해 존양의 덕과 공경의 마음, 그리고 감사의 마음을 성심껏 표할 것을 가르쳐, 교만하지 않고 세상을 살아가는 미덕을 기르게 하는 목적이 있다. 그래서 술을 마시는 데 격식과 절차가 있는 것이다.

> 향음주의 예에서 60세 된 사람은 앉고, 50세 된 사람은 서서 모시고, 정사와 역사를 듣는 것은 어른을 존경하는 것을 밝히려는 까닭이다. 60세 된 사람에게는 3두를 놓고, 70세 된 사람에게는 4두를 놓고, 80세 된 사람에게는 5두를 놓고, 90세 된 사람에게는 6두를 놓는데, 이것은 노인을 봉양하는 것을 밝히려는 까닭이다. 백성이 어른을 존경하고 노인을 봉양할 줄 안 뒤에라야 집안에 들어가 효제할 수 있는 것이며, 백성이 집안에 들어가 효제하고 밖에 나와 어른을 존경하고 노인을 봉양한 뒤에라야 가르침이 이루어지며, 가르침이 이루어진 뒤에라야 나라가 편안할 수 있는 것이다. 군자가 효라고 말하는 것은 집에 이르러서 날마다 그것을 보이는 것이 아니다. 모든 향사의 예에 맞게 하며 향음주의 예로 그것을 가르쳐서 효제

의 행이 세워지게 하는 것이다. (六十者坐, 五十者立侍, 以聽政役, 所以明尊長也. 六十者三豆, 七十者四豆, 八十者五豆, 九十者六豆, 所以明養老也. 民知尊長養老, 而後乃能入孝弟. 民入孝弟, 出尊長養老, 而後成教, 成教而後國可安也. 君子之所謂孝者, 非家至而日見之也. 合諸鄉射, 教之鄉飲酒之禮. 而孝弟之行立矣. 『禮記』「鄉飲酒義」)

향음주례의 또 다른 목적은 어른을 존경하고 노인을 봉양하는 향음주의 예를 통해 효제의 가르침을 몸소 실천하도록 하는 것이다. 음주예절을 통해 효제의 가르침부터 경로사상, 형제·이웃 간의 화목, 장유유서, 충효(忠孝) 등을 궁극적 목적으로 삼았다. 향음주례의 또 다른 기록인 『의례』 「향음주」 조에 의하면 "향음주란 향대부가 나라 안의 어진 사람을 대접하는 것으로, 향음주례를 알도록 가르쳐야 어른을 존중하고, 노인을 봉양하는 것을 알게 되며, 효제의 행실도 실행할 수 있는 것이고 귀천의 분수도 밝혀지며, 주석(酒席)에서는 화락하지만 지나침이 없게 되어, 자기 몸을 바르게 하여 국가를 편안하게 하기에 족하게 된다."고 하였다. 이는 향음주례가 학덕과 연륜이 높은 이를 주빈으로 모시고 술을 마시는 의례로 어진 자를 존중하고 노인을 봉양하는 데 뜻을 두고 있음을 알 수 있다. 효제 및 노인 봉양과 공경의 도리를 글이나 말에서 찾는 것이 아니라 구체적인 실천을 통해 몸에 익히는 방편으로 향음주례를 활용한 것이다.

술 마시는 것을 방종의 시간으로 여기는 경우가 많다. 그러나 옛사람들에게 술을 마시는 시간은 결코 방종의 시간이 아니었다. 술의 역할과 술을 마시는 시간은 어진 사람을 존경하고 몸소 효제의 가르침을 경험하는 시간이었다.

> 활을 쏘는 것은 나아가고 물러남과 몸을 놀리는 일이 반드시 예에 맞아야 하는 것이다. 안으로 뜻이 바르며, 밖으로 몸의 자세가 곧은 연후라야 활과 화살을 잡는 것이 격식에 맞고 단단하며, 활과 화살을 잡는 것이 격식에 맞고 단단한 연후에라야 표적을 맞추는 것을 말할 수 있는 것이다. 이것으로 덕행을 볼 수 있는 것이다. (射者, 進退周還必中禮, 內志正, 外體直, 然後持弓矢審固. 持弓矢審固, 然後可以言中, 此可以觀德行矣. 『禮記』「射儀」)

> 활쏘는 것은 인의 도이다. 활쏘기의 바른 도는 자기에게서 구하여, 자기의 몸이 바르게 된 뒤에야 발사하는 것이니, 발사하여 맞추지 못해도 자기를 이긴 자를 원망하지 않고 반성하여 자기에게서 구할 따름이다. (射者, 仁之道也. 射求正諸己, 己正然後發, 發而不中, 則不怨勝己者, 反求諸己而已矣. 『禮記』「射儀」)

활쏘기는 지도자가 될 인재의 기본적인 교육과정인 육예(六藝) 중 하나이다. 활쏘기를 배우는 목적은 다른 사람들과 다투어 이기기 위한 것이 아니라 자신을 검속하기 위해서이다. 화살이 과녁에 맞게 하려면 머리부터 발끝까지 자신의 몸이 바르게 되었는가를 살피고, 혹시라도 서두르거나 태만하거나 욕심내지 않도록 마음도 살펴야 한다. 이처럼 활쏘기는 심신 수양의 도구로 사용되었다. 활을 쏜 후 맞추지 못해도 자기 이긴 자를 원망하지 않고 결과에 대한 책임을 자신에게서 찾는, 스스로 반성하는 모습은 진정한 군자다운 풍모이다. 바로 이를 기르기 위해 배우는 것이 활쏘기였다.

그런데 활을 쏘는 의식인 향사의(鄕射儀)에 함께 하는 것이 술이었다.

> 공자가 말하였다. "군자는 다툴 바가 없으니, 다툰다면 활쏘기에서이다. 읍양하여 당에 오르고 당에서 내려와 술을 마시니 그 다툼이 군자답도다." (孔子曰 君子無所爭, 必也射乎！揖讓而升, 下而飮, 其爭也君子. 『禮記』「射儀」)

> 시에 말하였다. "활 쏘아 과녁에 적중시켜 그대가 술잔 들기를 바라네." 바란다는 말은 구한다는 뜻이다. 과녁을 맞추어서 그것으로써 술잔을 사양하여 그대에게 마시게 하기를 구하는 것이다. 술이란 것은 노인을 봉양하기 위한 것이며, 병을 요양하기 위한 것이다. 과녁을 맞추어 그것으로써 술잔을 사양하기를 구하는 것은 봉양 받는 것을 사양하는 것이다. (詩云 發彼有的, 以祈爾爵. 祈, 求也. 求中以辭爵也. 酒者, 所以養老也, 所以養病也. 求中以辭爵者, 辭養也. 『禮記』「射儀」)

활쏘기는 단순히 활을 쏘는 시합이 아니라 예를 배우고 실천하는 장(場)이었다. 그래서 활을 쏘기 위해 당(堂)에 오를 때 반드시 읍하고 사양하는 예절이 있었으며, 활쏘기를 마치고 당에서 내려와서는 예에 따라 술을 마셨다.

시합에 참석한 사람은 세 번 읍하고 세 번 사양한 후 당(堂)에 올라 활을 쏜다. 화살을 모두 쏜 후 결과가 나오면 같이 겨룬 사람들과 서로 읍하고 사양한 후 당(堂)에서 내려온다. 활쏘기 시합에서 진 사람은 그 벌로 술을 마시게 되는데, 이때에도 역시 서두르지 아니하고 읍하고 올라가 잔을 받아 마셨다. 벌주를 마시는 자리에서도 예에 따라 술을 마시니 예의와 법도를 어김없이 지키는 자리라 할 수 있겠다.

벌주를 마신다는 것은 어찌 보면 유쾌하지 않을 수 있다. 그런데 『시경』의 내용을 덧붙여 술이 노인을 봉양하고 병을 치료하는 좋은 마실거리이기 때문에, 활을 쏘아 과녁에 적중시킨 것은 상대방에게 술잔을 사양하려는 의도였다며 겸손의 미덕을 드러내고 있다. 이처럼 활쏘기를 하고 나서 승자가 패자에게 술을 권하는 유교 의례는 경쟁을 하더라도 상대방에 대한 배려와 겸양, 공경하는 미덕의 마음을 배우게 하려는 깊은 뜻을 가지고 있다.

의례의 차 문화

술이 신과 감응하는 매개체로 인식되었던 초기에 술은 매우 격식을 지켜 사용되었으며, 일반적으로 술이 지니는 기호성이나 유희적인 성격은 부각되지 않았다. 그러나 조화와 절제를 유지하는 일은 쉬운 일이 아니다. 처음에는 예의를 갖춰 술을 마시다가도 자유분방한 음주문화가 만연하면서 술은 예의와 격식을 떠나 오락성을 지니게 되고 하나의 유희적 활동으로 변모하였다.

자유분방한 음주문화의 다른 한편에서는 다양한 사람들이 개인적인 정신 수양과 연회, 그리고 제사 의식에 술이 아닌 차를 사용하게 되었다.

> 『진서』에는 "환온이 양주목으로 있을 때 천성이 검소하여 잔치할 때마다 오직 7개의 전반에 차와 과실만을 내릴 뿐이었다."고 하였다. (『晉書』 桓温爲揚州牧, 性儉, 每宴飮, 唯下七奠拌茶果而已. 『茶經』 「七之事」)

> 장맹양 「등성도루」 시에 이르기를 "그 옛날 많은 돈을 쌓아 두었던 두 부호인 정, 탁의 교만과 사치는 가히 제후들과 견줄 만하도다...... 차림상은 수시로 올려지고 산해진미의 맛은 절묘하고도 뛰어나다. 가을에 귤나무 숲을 헤쳐 귤을 따고 봄에는 강가에서 물고기를 낚는다. 물고기는 젓갈보다 연하고 과일과 반찬은 게살 안주보다 뛰어나다. 향기로운 차는 모든 음료 중에서도 으뜸이며 그 넘치는 맛은 온 천하에 퍼진다. 삶에 있어 편안한 즐거움을 찾는다면 이곳이야말로 가장 즐길 만한 곳이 아닌가."라고 하였다. (張孟陽 「登成都樓」詩云, 借問揚子舍, 想見長卿廬. 程卓累千金, 驕侈擬五侯...... 鼎食隨時進, 百和妙且殊. 披林採秋橘, 臨江釣春魚. 黑子過龍醢, 果饌踰蟹蝑. 芳茶冠六清, 溢味播九區. 人生苟安樂, 茲土聊可娛. 『茶經』 「七之事」)

『신이기』에 "여요사람인 우홍이 산에 들어가 차를 따다가 한 도사를 만났는데 푸른 소를 3마리 끌고 있었으며, 우홍을 이끌고 폭포산에 이르러 말하기를 '나는 단구자라 하오, 듣자니 그대가 차를 잘 끓인다는데 항상 그대의 덕을 좀 봤으면 하는 생각을 했었소, 산속에 커다란 차나무가 있으니 그대가 차를 따는 데에는 부족함이 없을 것이요. 그대에게 바라건대 훗날 차 마실 때 사발 또는 구기에 차가 남거든 내게도 보내주시구려'라고 하였다. 우홍은 단구자에게 차를 올려 제사를 지냈고, 그 뒤 식구들이 산에 들어갈 때마다 커다란 차나무를 얻게 되었다."고 하였다. (『神異記』 餘姚人虞洪, 入山採茗, 遇一道士, 牽三青牛, 引洪至瀑布山曰 '吾丹丘子也. 聞子善具飮, 常思見惠. 山中有大茗, 可以相給, 祈子他日有甌犧之餘, 乞相遺也'. 因立奠祀. 後常令家人入山, 獲大茗焉. 『茶經』「七之事」)

환온의 이야기는 검소함을 실천하는 개인적인 수양의 모습을 차를 통해 이야기하고 있으며, 장맹양의 시에서는 상류계층의 사치스런 연회에 차려진 산해진미와 육청보다 차가 뛰어나다고 표현하고 있다. 또한 우홍 일화를 통해 제사에 차가 쓰였음을 보여줌으로써 의례에서 혹은 일상에서 술 대신 차가 쓰이고 있었음을 알 수 있다.

이처럼 술과 차는 서로 대응이 되기도 하지만 엇갈리거나 마주치면서 발전해 온 면이 없지 않다. 술과 차는 제사 의식이나 의례 문화 그리고 접대와 유희적 측면이 교차하여 나타나거나 혹은 같은 의례 형식을 공유하기도 하였다.

3. 술과 차, 풍류의 문화

의례에 사용되었던 술은 격식을 지켜 사용되었기 때문에 술이 가진 기호성이나 유희적인 성격은 드러나지 않았다. 그러나 해를 마무리하고 새해를 시작하며 춤과 노래를 부르고 술을 마시는 축제는 삶의 일부였으며 그 과정에서 마시는 술은 사람들을 기쁘고 즐겁게 하였다. 그리고 술 마시는 모임은 단순히 술만을 마시는 것이 아니라 노래와 춤, 시를 함께 곁들여 술 마시는 자리를 우아하고 고결한 풍류로 승화시켰다.

풍류 행사 중 하나가 유상곡수연이다. 유상곡수연은 음력 3월 상사(上巳)날 또는 삼짇날에 이루어지던 행사의 하나로, 굽이치는 물가에 앉아 술잔이 상류로부터 자기 앞을 흘러 지나는 사이에 시를 지어 읊고 잔을 들어 술을 마시는 풍류 행사이다. 본래 유상곡수연은 삼월 삼짇날 봄, 겨울의 묵은 때를 흐르는 물에 씻어 버리고 한 해 농사를 시작하면서 풍년을 기원하는 제사를 지낸 후 음복하면서 시와 노래를 즐기는 일종의 종교의식이었다.

유상곡수연이 시와 술을 곁들인 풍류 행사가 된 것은 동진 시대 명필가인 왕희지(307~365)의 난정지회(蘭亭之會)와 관련이 있다. 353년 3월 삼짇날, 왕희지는 당시의 명사들을 초청해 회계현, 지금의 절강성 소흥현 난정에서 연회를 열었다. 흐르는 물 위에 술잔을 띄우면 모인 명사들은 술이 떠내려오는 동안 시를 짓고 떠내려오는 술잔이 물웅덩이에 잠시 멈추면 자신이 지은 시를 낭송하며, 만약 시를 짓지 못하면 벌주를 마셨다. 시를 짓는 작업이 끝나면 모두 정자에 모여 작품을 평가하고 술을 마시며 연회를 즐겼다. 이날 읊어진 시를 모은 것이 바로 『난정집(蘭亭集)』이며, 왕희지는 직접 서문을 짓고 써서 중국 서예사상 최고의 명품으로 일컬어지는 〈난정서〉를 남기게 된다. 이를 동경했던 우리나라의 문인들도 유상곡수연을 자신들의 아회(雅會)나 계회(契會)의 연원으로 언급하였고, 실제로 유상곡수연을 실행하거나 화제로 이용하기도 하였다.

이렇게 술은 아름다운 자연과 벗하며 인생에 대한 감흥을 시(詩)로 표현한 사람들의 잔에 담겨 예술이 되고 격조 높은 상류 문화가 되었다. 술은 누가 어떻게 마시느냐에 따라 그 가치가 달라진다. 품격 있는 사람들의 잔에 담기면 예술이 되고 격조 있는 문화가 되지만 유흥과 타락, 탐욕과 술수의 도구가 되면 폐해가 된다. 유상곡수연이야말로 풍류에 사용되었던 술의 높은 경지가 아니겠는가.

삼월 삼짇날에 행해진 유상곡수연이 술과 관련된 풍류 행사라면 삼월 삼짇날에 행해진 들차회는 차와 관련한 풍류 행사이다. 과거 농경생활에서 경작하는 데 필요한 준비를 하거나 노동력을 재충전하는 일은 매우 중요하였다. 그래서 세시풍속일을 두어 일과 쉼의 균형을 맞추었다. 농사일을 시작하기 전에 에너지를 충전하기 위해 삼월이 되면 좋은 날을 잡아 야외로 나가 화전을 지져서 나누어 먹고 차를 우려 마셨다. 조선시대 영수합 서씨(令壽閤 徐氏)는 자신의 시에서 '답청 가는 내일은 차호(茶壺)를 가져가리.'라 썼는데, 답청은 화전놀이의 다른 이름이며 차호는 차를 담은 항아리, 혹은 차를 우리는 그릇을 말한다. 꽃놀이를 즐기러 가는데 차 항아리, 혹은 차 우리는 그릇을 가지고 간다는 것은 그곳에서 차를 마시겠다는 표현이다.

투차(鬪茶)는 일명 명전(茗戰)이라 부르기도 하는데 차를 가지고 다툰다는 뜻이다. 본래 투차는 중국 송나라 시대 말차 문화를 기점으로 시작되었고 명나라 시대 잎차 문화로 전환되면서 쇠퇴하였다. 그리고 현대는 차품평(茶品評)이라는 새로운 영역으로 확대되고 있다. 송나라 시대 복건성의 북원(北苑)은 황제에게 진상하는 차를 만드는 공차원이 있던 곳이다. 공차원에서 생산된 우수한 품질과 새로운 형태의 차들을 황제에게 진상하기 전에 품질을 가리기 위한 의미에서 출발한 것이 투차이다. 북원의 장인들은 차를 만들고 각자 만든 차를 곱게 갈아 찻잔에 넣고 대나무 솔로 저어 빽빽한 거품이 올라오게 하였다. 여러 차 중에서 가장 좋은 차는 오래도록 찻잔의 하얀 거품이 꺼지지 않은 차이며, 이것을 황제에게 진상했다. 북원의 차 만드는 장인들은 투차를 통해 양질의 좋은 차를 만들기 위한 노력을 기울였으며, 그로 인해 차의 품질은 더욱 좋아졌다. 이런 투차 형식은 후에 상류층의 차 마시는 모임에서 유행하였다. 이들에게 투차는 누가 가장 맛있고 아름다운 한 잔의 차를 만들어 내는가의 경쟁이었다. 모임에 모인 이들은 직접 차를 고르고 직접 물을 끓이며 하얀 거품이 풍성한 차를 만들어 냈다. 투차는 품질 좋은 차를 가려내고, 차를 끓이는 물에 대해 깊이 이해하며, 아름다운 다기구를 가지고 오랜 기간 다져온 솜씨를 발휘할 때 비로소 승리할 수 있었다. 상류층의 투차 자리에서는 비단 차를 겨루는 일뿐만 아니라 시를 짓는 일도 함께 이루어졌다. 차를 겨루고, 맛있고 아름다운 한 잔의 차를 마시며 시를 짓는 일은 풍류를 즐기는 상류층의 즐거움이었다.

일반 백성 사이에서 투차는 누가 만든 차가 거품을 빽빽하게 올리는가의 내기로 유행하였다. 황제에게 좋은 차를 진상하려는 의도에서 진행되었던 투차(鬪茶)가 상류층의 풍류 문화에서 후에 '내기'로 바뀐 것이다. 일본에서의 투차는 차의 이름과 생산지 등을 많이 맞힌 사람에게 우승을 인정하는 놀이 형태로 진행되었다. 한국의 경우는 투차나 명전이라는 용어가 고려시대 문인들의 시(詩) 속에 등장하는 것으로 보아 송대의 영향 아래 투차가 진행되었음을 알 수 있다. 투차는 단순히 차를 가지고 다투는 놀이 문화의 형식을 넘어 한 잔의 차를 대하는 풍류 문화의 성격을 띠고 있다. 차 산지, 차 종류와 품질, 다도구와 물, 그리고 차 만들기 등이 최상의 경지에 이를 때에 비로소 이루어질 수 있는 우아하고 절제된 풍류 문화인 것이다.

4. 술과 차, 무엇을 마시고 취할 것인가?

술과 차는 작게는 국가, 크게는 문명권 안에서 역사와 문화를 배경으로 학습되어 의례화되거나 공유되어 생활화되었다. 술과 차는 제사에 쓰이면서 초탈적 의미를 지니며 의례화되기도 하였으나, 일상생활 속에서 공유되면서 사람과 관계 맺기 위한 사교나 접대를 담당하며 생활화되기도 하였던 것이다.

오늘날 술과 차는 보편적 기호 음료로 애용되고 있다. 술을 마시는 음주는 사람 사이의 친화를 다지고 지나치게 경직된 격식을 완화하며 하루의 피곤함과 근심을 달래는 여유를 즐기는 문화적 행위이다. 차를 마시는 음다는 졸음을 쫓고 마음과 정신을 맑게 해주며 인간관계를 이어주는 가교역할을 하는 문화적 행위이다.

다성(茶聖)이라 불리는 육우(陸羽)는 『다경(茶經)』에서 "근심과 번뇌를 벗어 버리려면 술을 마시고, 정신을 맑게 하고 잠을 깨려면 차를 마시라.(蠲憂忿, 飮之以酒, 蕩昏昧, 飮之以茶.)"고 했다. 육우는 술과 차를 단순히 의례적인 물질로 국한하지 않고 정신적 물질로 한층 더 높여 평가하였다. 인간이 세상을 살아가면서 고요하고 한가로운 해방감을 느끼기 위한 자기 정화의 수단이 차였다면, 희로애락이 수시로 교차하는 세상에서 소통과 유대감을 느낄 수 있는 것은 바로 술이다. 세속의 번거로움에 찌든 정신을 맑고 고요하게 다스리고 바쁜 일상에서 잠시 벗어나 한가로운 담소의 자리를 마련해 자신과 서로를 돌이켜보는 시간을 갖는 것이 음다의 목적이라면, 세상의 고통과 근심을 벗어 던지고 유쾌하게 웃으며 즐거운 자리를 마련하고 서로 마음을 나누는 시간을 갖는 것은 음주의 목적이라 할 것이다.

이제, 당신은 한 잔의 술을 마실 것인가?

아니면 한 잔의 차를 마실 것인가?

| 참고문헌 |

『禮記』

『茶經』

『戰國策』

『尙書』

『說文解字』

『神農本草經』

『牧隱詩藁』

이상희, 『한국의 술문화』, 출판사 선, 2009.

오명진, 「『다경』「육지음」에 나타난 의례양식」, 한국차학회지, 제25권 제1호, 2019.

진성수, 「유교경전에서 술의 상징체계 연구」, 한국양명학회, 제37호, 2014.

한종완 · 정성임, 「문화전파와 사회변화로 본 술의 인식변화 고찰」, Journal of International Culture, Vol.13-2, 2020.

전병술, 「유교 음식문화에 나타난 조화의 태도」, 환경철학회, 환경철학, 2016.

이희재, 「유교의례에서의 술」, 한국종교학회, 종교연구, 2009.

'7인의 수다, 맛깔나는 술 이야기' 책을 내며

이 책의 집필자 7인은 '더 나은 세상을 위한 인문학 연구원(별칭 더나세)'의 임원이며 철학박사들이다. 이들은 서경, 주역뿐만 아니라 사서와 천자문, 역사, 미학에 이르기까지 다양한 분야에서 대학 강사, 사회인문원 강사 및 원장, 방송 강사로 활발하게 활동하고 있다.

어느 날 문득 술에는 어떤 동양사상이 깃들어 있을까 이야기를 나누다가 각자의 관점에서 바라본 술에 대한 이야기를 써보기로 한 것이 오늘에 이르게 되었다. 이 책은 주류(酒流, 술을 좋아하는 사람)에게는 술 마시는 좋은 핑곗거리가 될 것이고, 비주류(非酒流, 술을 마시지 않는 사람)에게는 술 마시는 사람을 이해하고 함께 술 한 잔 기울일 수 있는 계기가 될 것이다. 모두에게 일독을 권한다.

이제 하경(霞耕: 붉은 노을 속에 밭을 갈다)하는 재야의 고수 7인들도 편안하게 낡은 붓을 잠시 내려놓고 막걸리 한 잔의 여유를 가지려 한다.

더 나은 세상을 위한 인문학 연구원 일동